D0951280

Accro vinyle

Alain Cliche

Accro vinyle

roman

ÉDITIONS TROIS-PISTOLES

Éditions Trois-Pistoles
31, route Nationale Est
Paroisse Notre-Dame-des-Neiges (Québec)
G0L 4K0
Téléphone : 418-851-8888
Télécopieur : 418-851-8888
C. élect. : ecrivain@quebectel.com

Saisie : Martine Aubut
Montage et couverture : Roger Des Roches
Révision : André Morin et Victor-Lévy Beaulieu

Les Éditions Trois-Pistoles bénéficient des programmes d'aide à la publication du Conseil des Arts du Canada, du ministère du Patrimoine (PADIÉ), de la Société de développement des entreprises culturelles du Québec (SODEC) et du programme de crédit d'impôt pour l'édition de livres du gouvernement du Québec (gestion Sodec).

EN EUROPE (COMPTOIR DE VENTES)
Librairie du Québec
30, rue Gay-Lussac
75005 Paris, France
Téléphone : 43 54 49 02
Télécopieur : 43 54 39 15

ISBN-13 : 978-2-89583-143-3
ISBN-10 : 2-89583-143-2
Dépôt légal : Bibliothèque nationale du Québec, 2006
Dépôt légal : Bibliothèque nationale du Canada, 2006

À mes parents qui m'ont transmis
le goût de la musique

Kung-Fu Fighting

J'arrive en vue d'une église en pierre de taille. Une grosse affiche est plantée au coin de la rue : « Vente de sous-sol d'église ». Mon pouls accélère. Nerveusement, je barre mon vélo à une rampe de fer forgé et marche vers le stationnement. Une vingtaine de personnes sont déjà en ligne. Je m'ajoute à la file.

Ma vieille montre automatique indique quinze heures quarante-cinq. Plus d'une heure d'attente… À faire quoi ? Rêvasser ? Me demander ce que je vais trouver cette année ? L'an dernier, c'était la première fois. Il m'est arrivé un truc étrange… Je fouillais les caisses de disques depuis une demi-heure, en vain, quand je tombai sur la pochette vide du disque *Black Moses* d'Isaac Hayes. Une pochette vide n'a normalement aucun intérêt. Mais j'avais trouvé les disques de cet album double dans un marché aux puces quelques semaines auparavant, sans la pochette. «Au moins, j'ai les disques», m'étais-je dit. Et voilà que je tombais sur la pochette. Quelle chance ! D'autant plus qu'elle est assez particulière… Elle se déplie en cinq et, une fois ouverte, forme une croix d'un mètre de haut avec Isaac Hayes en habit de preacher.

C'était l'an dernier. J'ai eu la chance de la première fois, comme on dit. Comme si le destin s'était arrangé pour que je veuille revenir… Trois heures cinquante. Des gens s'ajoutent à la queue. Une femme dans la cinquantaine avec son mari derrière. En étirant la tête pour éviter la fumée de cigarette du mari, je remarque une silhouette au début de la file. Petit, bedonnant, barbe blanche, avec un manteau turquoise. C'est un collectionneur de disques. Il arrive toujours avant moi. Va falloir jouer serré. La file continue de s'allonger. J'observe les hommes avec des sacs à dos. Sont-ils eux aussi des collectionneurs ? La faune continue d'affluer : des femmes attirées par le linge pas cher, des ramasseux, des pauvres…

Seize heures. Encore une heure à tuer. Il y a maintenant autant de gens devant que derrière. J'ouïs des bribes de conversation. C'est ça le secret… Faut avoir quelqu'un à qui parler.

Je jette quelques regards autour de moi et dresse un inventaire des possibilités. Résultat: je vais faire la carpe. Seul avec mes pensées, je sombre. Qu'est-ce que je fous là? Je pourrais utiliser mon temps à autre chose de plus important, je suis en train de rater ma vie... Je ferme les yeux, prends un respir et relaxe... Du calme. C'est l'été, on est bien.

Seize heures dix. Je repense aux endroits où je suis allé pour dénicher des disques. Je me revois en skateboard sur l'asphalte brûlant rue Bleecker à New York, roulant de magasin en magasin. À Toronto arpentant la rue Yonge. À Paris près des Halles, toujours à la recherche de disques, un lourd sac sur le dos. Les douanes de Plattsburgh la nuit, traînant mon sac rempli à craquer. Les sueurs froides. Les douaniers vont-ils me laisser passer?

Un homme entre dans la file trois ou quatre rangs devant moi et se met à jaser avec des gens. Personne rouspète. Le resquilleur n'a pas l'air d'un collectionneur de disques. Bah, je passerai devant eux quand la file commencera à avancer. Il y a plusieurs stratégies pour éviter que des gens passent devant soi. On peut coller la personne d'en avant. Mais ça gâche l'attente, car on se fait toujours un peu bousculer. Je préfère laisser un peu d'espace pour pouvoir m'étirer les jambes. Voilà d'ailleurs une excellente idée... Je me mets à faire des étirements, comme si je m'apprêtais à faire un exercice intense. J'étire d'abord mon cou qui craque. Ensuite, je fais rouler les épaules et bombe le torse. Après, je fais doucement circuler mon bassin. Enfin, les jambes. Je les lève et les garde ainsi en l'air durant un instant. Je les prends avec les mains et les serre contre mon thorax. Ouille! Ça fait du bien. Ça y est, la mécanique est réchauffée. La circulation reprend.

Seize heures trente. La file se resserre. Les gens derrière me collent. Si j'avance pour les distancer, ils vont se rapprocher et je serai pris en sardine comme les autres. C'est le moment d'utiliser mon arsenal chimique... Malheureusement, je ne suis pas inspiré. Je pousse, force un peu, un peu plus. Rien à faire... ça veut pas sortir. Je sens le manteau de mon voisin derrière. Je déteste être touché ainsi. Je me retourne, fais des gestes exagérés, mais n'avance pas d'un poil. Le mari de la femme fume encore. Les volutes m'arrivent directement dans le nez. L'imbécile a pourtant quitté la rangée pour montrer qu'il respecte les non-fumeurs. Patience, il mourra bien un jour.

L'aide souhaitée arrive enfin… Un long gaz silencieux se faufile entre mes fesses. Les silencieux sont normalement les pires, mais je ne sens rien. Il doit stagner dans mon jean. Je rentre et sors les fesses pour l'aider à se propager. Ça marche. Une odeur d'œufs pourris flotte. Victoire ! Je ne sens plus mon voisin sur mes talons. Il se crée une bulle autour de moi. Le plus formidable : personne ose regarder son voisin de crainte qu'il ne croie qu'on est le coupable. Mon honneur est intact. J'espère que mon slip l'est aussi.

Seize heures quarante-cinq. Il y a maintenant plus de gens derrière que devant. J'ai réussi à éloigner le colleux d'en arrière. C'est dans les petites choses qu'on apprécie la vie. Mon sac, où est mon sac ? Par terre, imbécile ! Je le remets sur mes épaules, ce qui installe pour de bon une distance derrière moi.

Seize heures cinquante. Au moins cent personnes font la file. Il y a de la fébrilité dans l'air. La vente dure deux jours, mais tout le monde sait que les trucs intéressants partent au début. Demain, ils vont tout liquider à bon marché. Un employé passe devant la file. La porte s'ouvre et se referme sur lui, suscitant espoir puis déception.

Seize heures cinquante-cinq. Chaque fois c'est pareil. Je me demande toujours comment je vais faire pour attendre une heure debout. Cinquante-six. Mes voisins ne sont plus des étrangers. On a réussi à tuer une heure. Les épreuves rapprochent les hommes, dit-on. Je sors doucement de mon monde. Cinquante-huit. L'heure approche. Cinquante-neuf. Les visages sont sereins. Dix-sept heures. Rien. Les portes n'ouvrent pas. Dix-sept heures une. Toujours rien. On s'impatiente. Que font-ils ?

Dix-sept heures trois. Je suis partagé entre rouspéter comme les autres et jouir du fait que tout le monde soit mécontent. Au moment où l'aspect cocasse prend le dessus et que je ne suis plus là, libéré du troupeau qui maugrée, l'homme devant moi avance. Surpris, je reste figé. La femme d'à côté passe devant moi avec son mari. Je suis vaincu. Moi qui ai passé la dernière heure à ressasser dans ma tête toutes les stratégies possibles pour gagner un rang ou deux… Alors j'avance moi aussi. Rien n'a plus d'importance. Sentir le gars derrière. Coller celui devant. Allons. Finissons-en ! La file disparaît dans l'église. Dans le cadre de porte, un resserrement, comme si on repassait par l'utérus. J'étouffe, force un peu et puis, ça y est, je suis enfin à l'intérieur. La sainte odeur d'encens m'accueille. Mon cerveau s'active. Chaque seconde compte. Sans m'arrêter je demande où sont les disques. « Au fond ». Je cours devant une rangée de tables encombrées d'objets de toutes sortes et arrive devant les boîtes. Le barbu est là, occupé à regarder les disques. Je saute sur une caisse en essayant de bloquer l'accès à celle d'à côté. J'essaie de recouvrir toutes les caisses. Mes doigts prennent le relais et font la course à obstacles avec les pochettes, passant un disque à la seconde. Stop. Je n'ai pas bien vu cette pochette. Dix pochettes plus loin : tiens, jamais vu ce disque ! Qu'est-ce que ça peut bien être ? Je le sors et le tourne pour voir l'année de production : 1985. Pas une très bonne année… Je le remets dans la caisse. Aussitôt, c'est reparti. Quand j'hésite, je sors le disque. Vite, il faut faire vite. Alors que j'en suis au tiers de la boîte, un collectionneur surgit à côté de moi et se met à pianoter les pochettes. J'ai une demi-caisse d'avance sur lui. Le voilà qui sort un disque. A-t-il trouvé un truc que je cherche ? Un de mes yeux continue de regarder les pochettes devant moi, l'autre essaie de voir le disque qu'il a sorti. Et puis, tant pis… Je continue. Après hésitation, questionnement, racine carrée de mes goûts divisée par ma connaissance, je sors un autre disque de la caisse. Et un autre et encore un. Ma rangée est finie, mon cerveau surexcité. Je saute sur la suivante. Comme c'est la dernière dans le pop et que c'est tout ce que mon voisin cherche, c'est terminé pour lui. En voilà un d'éliminé. Je reprends mon souffle et jette un regard furtif au barbu. Il a une énorme pile de disques devant lui. Pendant un instant j'assiste, impuissant, à sa pêche miraculeuse. Mes doigts repartent et s'arrêtent sur les Dave Clark Five. Ça vaut même pas la peine de regarder. Le disque est sûrement fini. Je sors encore trois disques. J'ai terminé ma rangée. Le barbu est maintenant assis dans un coin. Il vérifie l'état des disques qu'il a sortis. Sa barbe blanche un peu jaunie émerge de son visage joufflu. Son coupe-vent turquoise dissimule des excès de table. Pas de doute, c'est un ancien hippie. Il sort chaque disque, examine les deux côtés et le met dans une des deux piles devant lui, ceux qu'il garde et les autres. Je m'installe pas trop loin et me lance dans le même processus, jetant un coup d'œil occasionnel à ses piles pour voir ce qu'il a bien pu trouver. La plupart de mes disques sont en piteux état sauf un Ray Charles, une réédition qui n'en vaut pas vraiment la peine en raison de sa piètre qualité. Le barbu se lève soudain avec une pile sous le bras. Je me jette dans la pile qu'il a laissée de côté. Rien d'intéressant à part une compil disco des années 1970. Elle est en excellent état, «mint» comme disent les pros. Je la prends et laisse le Ray Charles. Au moins, je ne me suis pas déplacé entièrement pour rien. Je marche derrière le barbu, accélère le pas et arrive à sa hauteur. Partout les gens s'affairent comme des abeilles, ce qui génère un bourdonnement sourd. En sortant de l'enceinte, le bruit s'atténue. Je me risque à lui parler.

— Y'avait pas grand-chose.

— Non… ça fait plusieurs fois que je viens et je trouve jamais rien.

Sa voix douce me surprend. Il continue:

— J'pense qu'y a un picker qui passe avant tout le monde. Y doit en avoir un qui a une plug. Ça explique pourquoi y'a jamais rien.

— T'as quand même trouvé une pile de trucs, je dis en désignant son sac.

— Y'a pas grand-chose là-dedans.

Il s'arrête et ouvre son sac.

— Du francophone ordinaire, un peu de rock, tout' des disques que j'ai déjà…

— Pourquoi tu les achètes alors ?

Il me regarde alors de ses yeux bleu délavé, comme pour être certain que je vais bien saisir ce qu'il s'apprête à me dire :

— J'en ai vingt-cinq mille !

Une tonne de briques me serait tombée sur la tête que je n'aurais pas été plus secoué ! Sur la rue, il passe sans doute pour un clochard. Mais à mes yeux, il devient soudainement fascinant. Il poursuit. Sa voix douce est maintenant teintée de fierté : « Y'en a que j'ai sept fois… Je les rachète parce que c'est plus simple que de les trouver dans mes affaires… Chez moi c'est pas grand. J'ai des disques partout… » J'essaie d'imaginer son logement. Des rangées de disques partout, cordés jusque dans la salle de bain !

— T'as pensé ouvrir un magasin ?

— Oui, mais le problème c'est que j'aurais plus le temps pour faire les ventes.

Je pouffe de rire. Ce type cinglé et jovial s'appelle René. Je marche avec lui jusqu'à mon vélo. Alors que je pédale, je me retourne pour observer sa silhouette hirsute et rondelette qui traîne un sac de disques.

Rendu chez moi, je mets mon maigre butin sur ma vieille table Garrard. Dès que la musique débute, une sensation connue envahit ma poitrine et remonte dans ma gorge. Barry White, James Brown et Gloria Gaynor se mettent à chanter en moi. L'atmosphère enivrante de cette musique chaude dissipe mon angoisse. Ce cocktail de fruits exotiques, parfums épicés et désirs sensuels, agit comme un euphorisant. Je suis subitement anesthésié par l'insouciance des années 1970. À l'endos de la pochette se trouve la liste des chansons de l'album. Mes yeux s'arrêtent sur la pièce *Kung-Fu Fighting* de Carl Douglas. Un souvenir se faufile. Je devais avoir 11 ou 12 ans. Avec un dollar et quelque en poche, j'étais passé par une ouverture entre les planches de la clôture du centre d'achat. Dans le hall, j'entendis la musique du Royaume du disque. En entrant, deux énormes haut-parleurs. J'allai au comptoir consulter le palmarès. Je me mis sur la pointe des pieds pour arriver à lire la feuille de papier collée sous la vitre. J'hésitais entre Carl Douglas et la pièce *Hit the Road Jack* des Stampeders qu'un copain m'avait fait entendre. Le vendeur proposa de faire jouer les deux pièces. Les 45 tours étaient accrochés au mur, en petites piles. Il en prit un de *Hit the Road Jack* et le mit sur la table tournante. Sur les grosses caisses, c'était très entraînant. Je tapai du pied jusqu'à la fin. Il décrocha ensuite un *Kung-Fu Fighting* et le fit jouer. Après avoir entendu les deux pièces, j'étais plus confus encore. Le vendeur sourit. Son astuce avait fonctionné… Je voulais les deux, mais n'avais l'argent que pour un seul. Ce choix sembla le plus difficile de ma vie. J'optai finalement pour Carl Douglas. Je pourrais toujours revenir acheter l'autre. Je sortis du magasin le cœur battant avec mon 45 tours dans un sac de papier. Je traversai rapidement le hall jusqu'à l'entrée de service à l'arrière, et là, ne pouvant contenir davantage mon enthousiasme, courus jusque chez moi tellement j'avais hâte d'écouter mon premier disque sur mon petit pick-up !

La raison qui m'avait fait pencher pour Carl Douglas est qu'à cet âge, j'étais fasciné par les arts martiaux. Cette fascination avait une explication. Fatigué de me faire taper sur la gueule dans la cour de récré, je m'étais inscrit à des cours de karaté. Mon instructeur était coréen. Il faisait des sauts spectaculaires en poussant des cris dans une langue étrange : « Imachoudanchoudanchidouki ». Il fallait se mettre en position de kata. Il poussait alors un « Ha ! » autoritaire. À ce signal, on devait avancer d'un pas, exécuter un blocage et donner un coup de poing. Et un autre, et un autre… durant des heures. J'étais pas très bon. Je me sentais minuscule dans ce gymnase immense. J'avais l'impression que ma ceinture resterait éternellement blanche.

En m'inspirant des films de kung-fu, j'avais élaboré une chorégraphie sur la musique de Carl Douglas. Je décidai de la présenter sur la scène de la salle de spectacle de l'école. Vêtu de mon habit de karaté, deux cents yeux rivés sur moi. Je mis l'aiguille du tourne-disque sur le 45 tours et courus me mettre en place. La voix de Carl Douglas envahit l'espace : « Oh, oh, oh, oh… » Je fis un salut au soleil… « Everybody was kung-fu fighting… » et le rythme débuta. Je sautai en l'air et me mis à donner des coups de poing à des adversaires invisibles en imitant les cris de mon instructeur. Je m'imaginais aux côtés de Bruce Lee, terrassant mes ennemis. Cette musique me donnait du courage. Au rythme du kata, je croyais à la justice à coups de poing. « Voilà, apprenez à me respecter. » Une sensualité martiale, la sueur du combat. Encore un saut, un coup de poing mortel. Mon âme mêlée à la mélodie, je me sentais immortel. Un saut dans les airs, tristesse résignée. J'étais un oisillon brisant à grands coups de bec son étouffante coquille et qui, une fois sorti, regarde la coquille en miettes et devient soudainement nostalgique. Ma chorégraphie terminée, je fis un dernier salut au soleil sous le gong final de la pièce. Je ne me souviens pas avoir entendu d'applaudissements... Tout ce que je sais, c'est que j'ai continué à me battre contre des adversaires plus gros que moi dans la cour de récré. Même que je me battais plus que d'habitude. Comme si tous les gars voulaient prouver qu'ils étaient forts.

Cette performance n'eut pas l'effet désiré, mais fit impression sur ma voisine Manon qui devint ma première blonde. C'était une brunette aux dents légèrement retroussées qui sentait bon. Un jour qu'on écoutait *Discomania* chez moi, la pièce « Lady Marmelade » joua. C'était la version française interprétée par Nanette Workman. « Voulez-vous coucher avec moi ce soir ? » criait-elle comme si elle avait un drôle de truc dans le derrière. Gêné par la teneur audacieuse de ces paroles, je baissai le volume du système de son. Malgré sa mauvaise audition, ma mère entendit. « Ça n'a rien à voir avec l'amour, ça », s'empressa-t-elle de me dire dès que Manon fut partie. L'enseignement catholique des bonnes sœurs avait produit son effet : ma mère avait été suffisamment conditionnée pour carburer à la culpabilité et à la répression sexuelle.

À cette époque, on faisait des soirées dansantes dans la salle de spectacle de l'école. Sur la scène, la même où je m'étais ridiculisé, un appareil portatif jouait les disques qu'on mettait à tour de rôle. Les filles assises d'un côté, les gars de l'autre. Quelques personnes dansaient au milieu. On s'en moquait, mimant méchamment leurs simagrées. Mais le temps jouait pour elles... Car le moment culminant de la soirée était le slow. Fallait demander à une fille pour danser, sinon on passait pour un pissou. Le slow à la mode était *Feeling* de Morris Albert. J'avais acheté le 45 tours et apposé ma signature sur l'étiquette centrale comme sur chacun de mes disques. La première fois que j'ai dansé un slow, ce fut avec Manon à l'une de ces soirées. Quelqu'un avait mis *Feeling.* Les gars se regardaient. Lequel serait le premier à avoir assez de courage pour demander à une fille de danser? Je suis allé voir Manon. Comme c'était ma blonde, je risquais rien. Je sentis son corps chaud contre le mien et ses seins naissants. Je me concentrais pour pas lui écraser les orteils. Étonnant comme ça peut être long trois minutes quarante-six!

Avec le temps, j'arrivai à danser un slow convenable. Mais quand vint le temps du premier baiser, il me fallut repartir à zéro... Ça faisait un moment qu'on se voyait et on en était rendu là, dans un boisé près de l'Aquarium. Assis à côté d'elle, je n'arrivais pas à passer à l'action. Ça semblait une tâche insurmontable. Je vis des initiales gravées sur l'écorce d'un arbre. Quatre lettres entourées d'un cœur. Un autre était passé par là et avait cru bon d'immortaliser son exploit. La pression était sur moi. Cette fois, je ne pouvais pas me défiler. Je me demandais comment aborder cette étape délicate quand j'eus soudain une idée. Alors qu'elle regardait dans la direction opposée, je l'interpellai: «Manon.» Elle se retourna. Je profitai de la surprise pour l'embrasser. Ce fut magique. Nos lèvres ne se quittèrent pas. J'étais si content d'être arrivé à briser la glace... je m'accrochais à cette mince victoire, les yeux fermés, écoutant le gazouillis des oiseaux. Je savais qu'il y avait quelque chose d'intéressant sous le gilet mais à ce moment-là, j'avais besoin de toute ma concentration. Ce premier baiser dura une heure ! Plus tard, on chronométra nos baisers. On a jamais amélioré notre marque. Faut dire que j'étais plutôt préoccupé par l'étape suivante… apprendre à faire sauter la brassière, le cauchemar des garçons !

Est-ce ma persévérance qui a payé ou Manon qui s'est lassée de mon manque de dextérité ? Je l'ignore… Quoi qu'il en soit, je tenais enfin dans mes mains ce dont j'avais rêvé si longtemps. C'était chaud et ça sentait bon. Je n'étais pas au bout de mes découvertes… Alors que je tenais le fruit de mes efforts juste à portée et embrassais ses petits seins, je découvris des poils au bout de ses mamelons ! Pour une surprise, c'en fut toute une. Je fis mine de rien, mais cela me dégoûta. Étrange comme on peut rêver d'une chose et, qu'une fois obtenue, elle perde son intérêt.

Durant un peu plus d'une année, je pelotai Manon au sous-sol en écoutant *Crime of the Century* de Supertramp. Au mur, j'avais posé des posters hippies à texture de feutre. Sous l'effet des lumières black light, les couleurs vives ressortaient comme par magie. Quand mes parents revenaient, je sortais vite mes mains de son gilet et on faisait semblant d'être absorbés par un jeu ou une émission de télé. Manon était mon aînée. Elle entra au secondaire avant moi. C'est là qu'on se perdit de vue.

Une année plus tard, alors que j'étais un petit boutonneux d'école secondaire et que je faisais tout pour être accepté, ouvrant mes grands yeux bleus en espérant que les filles ne remarquent pas mon acné, il y avait toujours quelqu'un pour me remettre ma chorégraphie sous le nez. Ceux qui n'y avaient pas assisté me demandaient : « C'est vrai ? » Que pouvais-je répondre ? « Oui, c'est vrai... il y a deux ans, j'ai fait un fou de moi devant l'école au complet. » Alors je me contentais de rougir pendant qu'ils se permettaient de sourire. Heureusement, avec le temps, les références à cette prestation se firent de plus en plus rares. De toute façon, j'allais fournir de nombreuses autres raisons à mes camarades de se moquer de moi. J'en avais eu pour mon argent avec ce petit 45 tours !

Ballroom Blitz

Comme tout le monde, j'écoute d'une oreille, expulse de l'autre. C'est un mouvement régulier, comme la respiration. Ça entre, ça sort. Entre les deux, un système de tri conserve ce qui en vaut la peine, c'est-à-dire pas grand-chose. Commérages, plaintes perpétuelles, conversations vides… les humains ont une étonnante capacité de parler pour ne rien dire. Heureusement, les oreilles peuvent capter autre chose que la voix. Les miennes préfèrent la musique !

J'en écoute dès le lever, lorsque j'écris, mange, travaille, me lave, fais le ménage. Deux, quatre, six heures d'affilée. Je repasse des milliers de fois ces sillons usés qui grouillent de vie. Mon aiguille entre dans le sombre vinyle d'où émane la générosité humaine. Je suis un junkie. Ça me prend de la musique ! Sinon mon cortex fige et mes articulations se soudent. J'ai besoin de ma dose. Pour faire danser mes neurones et cette vieille carcasse qui me sert bien.

Mes revendeurs ? Marchés aux puces, Armée du salut, comptoirs de pauvres, magasins de bric-à-brac, ventes de garage. Je marche, cours, trébuche et tombe face première dans les poubelles de l'humanité. Dans ces caisses dégoulinant le moisi, je trouve du mauvais, du très mauvais et me noie dans une mer de médiocrité. La poussière mord mes poumons, s'incruste dans mes doigts. Je cligne de l'œil, retiens mon souffle. Jusqu'à ce que passe une bouée. Je l'agrippe, m'y cramponne et plonge dans une époque révolue qui m'engourdit, me gèle. Les ondes sonores transpercent ma carcasse, envahissent mes réseaux vitaux. Je suis emporté dans ces contrées qui n'existent qu'en moi.

J'adore l'obscurité. La tyrannie de l'image cesse. Les visages perdent leur expression. La fioriture disparaît. Corps, logement, ville, terre, Univers. Tout se fond dans les demitons qui jouent à cache-cache avec mes rétines. Dans ce néant sensoriel, la musique donne vie à ce qui rôde dans la pénombre de mon âme. Je suis au cinéma. Mon inconscient guide une caméra dans un panorama fantastique. Ici, une peur surnaturelle alimentée par un relent de chasse aux sorcières. Là, un fascinant voyage au bout des sens dont on ne revient pas si on a trop d'imagination. Grisé par la musique, je me laisse ballotter, à demi-inconscient. Je traverse des contrées dont je suis le premier et dernier explorateur.

Une pièce de cool jazz et je plonge dans un bar enfumé des années 1940. Des maffieux en habits rayés écoutent distraitement une chanteuse noire accompagnée d'un quartette. Elle entonne du soul. Je suis projeté vingt ans plus tard, à Harlem, dans une maison chaude. Une vieille mémé prodigue affection à ses chérubins. Je sors, marche sur des trottoirs vides, écrasés au pied d'édifices abandonnés. Des Noirs entourent une énorme radio d'où surgit une puissante voix rauque et saccadée. Ils me dévisagent. J'entre dans une ruelle. Ça grouille d'immondices. Des rats fouillent un sac à ordures. Des punks se chamaillent. Une énergie brute monte en moi. Dans mon armure de cuir, je suis invulnérable. Je passe à deux pas d'eux trop défoncés pour tenter quelque chose. J'arrive dans un vieux quartier industriel de Détroit à l'abandon. Je m'arrête devant un édifice d'où émane un froid intense. Par une vitrine brisée, j'entre dans cet ancien magasin. Au milieu de l'immense espace, quelques présentoirs vides, des affiches suspendues et une odeur de sueur non noble. Je monte un escalier encombré de débris, trébuche, m'agrippe à la rampe et accède enfin à l'étage. Une infime lumière pénètre une grande salle. Les bureaux, le mobilier, tout est là, mais comme après un ouragan. Retenus par leur cordon ombilical, des néons pendent du plafond. Un faible bourdonnement augmente à mesure que j'approche d'une voûte. Je tire une lourde porte qui finit par obtempérer. J'entre. Et vlan! Une explosion de jets colorés m'éclate en pleine face. Dans cette tempête de lumière, cinquante personnes affublées de tenues excentriques et colorées paradent au rythme infernal d'une musique électronique. Aucune ne semble me voir. On dirait des mannequins dressés à bouger avec grâce. Une immense boule miroir tourne lentement au-dessus de la mêlée, comme une terre suspendue réfléchissant dans le cosmos son chaos civilisé. À moitié hypnotisé, je me laisse pénétrer par cette science-fiction spontanée. Les pulsations-minutes passent de cent quarante à cent soixante… Mes organes deviennent puces et circuits intégrés. Je ne sens plus mon cœur battre. Je suis machine. J'exécute chaque geste avec la perfection d'un robot, parfaitement synchrone avec le groupe. Le tempo grimpe à cent quatre-vingt. Au milieu de la tempête, c'est la transe. Je suis là et nulle part.

Devant chez moi, les vitres grondent. Mes voisins maugréent. On souffre toujours des dépendances d'autrui. J'ai besoin de ce bruit. Depuis que je suis petit. À quatre ans, je tremblais dans le noir en entendant mes parents s'engueuler. Au-delà de l'engueulade, entre les injures, un filet de musique coulait sans arrêt. Plus de cris… que cette cascade magique, lien avec d'autres dimensions, la vérité, la mort, mon passé, ce qui a de l'importance et compte vraiment.

Après avoir passé sa vie à la gagner, derrière l'artifice, la fausseté, tout ce qu'on est forcé d'avaler, tout ce qui nous retient et assèche notre cœur. Elle est là. Au détour d'une rue, dans une scène de film, au supermarché, alors qu'on choisit sa salade. Le ciel s'ouvre au-dessus de soi. Notre conscience s'éclaircit.

À cet instant précis, on touche à l'absolu. On est délivré de soi et, surtout, de l'humanité.

Quand je suis dans la musique, l'énergie coule en moi. Mes soutes s'emplissent de courage. La jauge de l'espoir remonte. Une guérison s'amorce. Plus de pollution, injustice, profiteur, assassin… Rien que ce lien subtil entre un réservoir de vie et cet organe aussi décoratif qu'utile, l'oreille. Le reste de ma carcasse se laisse bercer, les plaies se cicatrisent. Ma vie n'est plus ratée, mon temps n'est plus gâché. Tout devient possible. Je me tiens juste là, prêt à rien, ressentant la logique du chaos.

Quand je suis triste, je sors mes albums de motown. Ces voix chaudes me consolent. La poésie ramollit les kystes de mes artères et les dissout. Mes émotions circulent à nouveau. Mon cœur pompe ces sensations imagées jusque dans mes veines. Ça entre en moi… un souffle postindustriel, la joie triste et profonde de la rue, le trafic, la ville grandiose qui sculpte l'âme et le visage des Afro-américains, ces chamans de l'âme qui ont touché et bercé mon cœur d'enfant. Pour une fraction de seconde, cette vie est mienne. Et pour le reste de ma vie, je ne suis plus seul dans ce monde perdu.

Je longe la clôture d'une école primaire. Quelques jeunes jouent dans la cour. L'exubérante jeunesse à deux pattes contraste avec le vieil immeuble. Un reflet de soleil de fin d'après-midi perce le temps et tombe sur la brique. Je ressens la chaleur que ces rayons ont procurée aux générations d'enfants qui ont joué dans cette cour. Mes yeux s'humectent. La clarté franchit la surface humide et projette une vision dans mon crâne — un gamin court en revenant de l'école, transportant innocemment sur son dos ce qui va faire sa perte. Chaque jour, la charge s'alourdit. Son dos plie un peu plus. La beauté du ciel finit par lui échapper. Devant lui, un abrutissement continuel. Alors il se replie, se referme, étouffe, agonise... jusqu'à ce que la musique l'appelle. Il sort alors de la garde-robe et court à toutes jambes, sur le même chemin qu'en revenant de l'école, les larmes aux yeux, cette fois, transi par l'amour pour sa mère et pour ce monde qu'il aurait tant voulu embrasser, aveuglé par le soleil couchant qui l'empêche de voir les dangers devant lui. Je cligne des yeux. La surface humide devient une mer salée. Tout s'éclaire et s'embrouille. La vision s'estompe. Une torpeur m'engloutit.

Ensuite, un long silence. Je suis revenu sur terre, plus précisément chez moi.

Mon regard circule sur le mur de mémoire muette. J'ouvre ma boîte de 45 tours et observe une à une ces reliques de mon passé. C'est comme un album photo. Chacun me rappelle quelque chose. Sur ces petites pièces d'histoire, perdure ma petite signature malhabile au crayon de plomb, celle abandonnée avec mes dents de lait. Ils sont enveloppés d'une simple pochette de papier. Sur l'étiquette centrale, inscrits dans la couleur du label, le nom du groupe, de la pièce et… la durée, défaut principal du 45 tours. Il faut en remettre un toutes les trois minutes. Épuisant ! Alors j'en écoute rarement. Mais une pièce me titille. *Ballroom Blitz* de Sweet. Je mets le disque sur la table tournante et dépose délicatement l'aiguille. Un grichegriche tient lieu d'introduction à la pièce. J'observe l'étiquette rouge. Tout ce qui est écrit devient flou et m'hypnotise. Des souvenirs surgissent des sillons, comme s'ils recelaient une fonction secrète activant la mémoire.

Je me vois dans ma chambre, à douze ans. J'avais économisé pour m'acheter un tourne-disque Zenith. La table, la radio et l'ampli, tout était intégré dans un module de plastique. À l'aide d'un bidule, je pouvais enfiler cinq ou six 45 tours qui tombaient automatiquement l'un après l'autre. Quand c'était au tour de Sweet, je mettais le son au maximum. La batterie débutait. Une simple caisse claire annonçant l'explosion à venir. Et puis ça partait ! Mon cœur descendait dans mes pieds et remontait cogner dans mon crâne. Je perdais complètement le contrôle et me mettais à sauter en l'air. Comme de la mauvaise herbe, je m'élançais vers le ciel, transi par la violence des guitares. L'armure masculine ciselait ma peau, écorchant mon enfance. Le son strident des cordes métalliques électrisait mon âme jusqu'à mes atomes, ouvrant en moi des portes jusque-là refermées sur moi-même ; j'allais ouvrir, exploser. Après trois minutes de transe, j'étais apaisé. Pas ma mère. Elle se plaignait du son trop fort. L'appareil laissait tomber un autre disque. Les cris disparaissaient.

J'étais en sixième année. Mon prof avait été parachuté dans notre école au début des classes. L'atterrissage avait été difficile. Les autres profs avaient mis tous les tannants dans sa classe, une façon originale de lui souhaiter la bienvenue. D'habitude, on était deux ou trois par classe. Là, on était une douzaine à s'envoyer des petits bouts de papier qu'on se mettait dans la bouche et qu'on soufflait à travers un stylo vide. Il en pleuvait ! Un jour, le gros Pat en envoya un au prof qui ne s'en rendit pas compte. Il continua la classe avec un point blanc au milieu de sa grosse barbe rousse. On se jetait tous des regards moqueurs. Le fou rire m'envahit. J'ouvris le gros tiroir de mon bureau, m'y mis la tête et éclatai de rire.

Le prof était délégué syndical. Comme c'était l'année des grèves, il allait régulièrement faire du piquetage. Notre suppléante attitrée était madame Leblanc, une grande maigre, sèche, un peu autoritaire. Elle tentait de meubler nos caboches, mais on préférait jouer au mini-hockey dans les tiroirs vides de nos bureaux où l'on avait dessiné des patinoires. Pierre avait rempli les siens de gommes balounes, chips et autres friandises qu'il vendait en classe. Un va-et-vient continuel de clients allait le voir. Il offrait même un service de livraison... Il lançait les trucs. Alors que madame Leblanc écrivait au tableau, on entendait un puissant « pouf » qui la faisait sursauter. Elle se retournait, désemparée. Quelqu'un en avait terminé avec son sac de chips !

Hatem et moi avions été exemptés du cours de religion. Pendant que la classe subissait le brainwash catholique, on jouait au mini-hockey dans le corridor. Cette concurrence déloyale eut raison de la foi des autres. La moitié de la classe finit par renoncer à la vie éternelle et on fut assez nombreux pour former des équipes. Pat et Pierre apportèrent des équipements de gardien de but. C'était génial ! On organisait des tournois, des éliminatoires, des lancers de punition… On avait même des spectateurs : les étudiants des autres classes qui nous regardaient avec envie par les fenêtres des portes.

On forma une radio étudiante. Au début on devait l'appeler CJLD, chaque lettre représentant un des membres. Hatem exigea qu'on ajoute un « H » pour son nom. Ça faisait une lettre de trop, mais comme c'est lui qui avait le plus de 45 tours, la radio se nomma CJLDH. Le midi et durant la récré, on mettait un haut-parleur dans la fenêtre et on faisait jouer de la musique dans la cour. Les filles dansaient en bas. Un seul d'entre nous pouvait rester dans la classe pour mettre la musique, un compromis exigé par la direction. On se relayait à tour de rôle. Un jour,

Simon et moi nous disputions près de la classe pour déterminer à qui le tour. J'entendis quelqu'un venir. J'allai m'enfermer dans une toilette minuscule. Simon fuit par l'escalier et tomba sur le directeur qui se mit à lui donner des baffes. Lorsque Simon cessa de crier, des pas se rapprochèrent. Mon coeur battait. Le directeur passa devant la porte et alla dans notre classe, sans doute pour faire une demande spéciale. Je l'avais échappé belle.

Un jour de printemps particulièrement chaud, je pris mon vélo et allai faire un tour dans le champ derrière chez moi. Je pris un peu de vitesse. L'air me rafraîchit. Au fond du champ il y avait une butte de terre. J'accélérai encore et, rendu sur le monticule, me levai debout. Le vélo piqua vers le sol. J'atterris face première dans le gravier et la roche et perdis connaissance. Je me réveillai à l'hôpital, étendu sur un lit blanc. Je restai ensuite quelques jours chez moi, pour récupérer.

Une délégation vint me voir après la classe. Ti-Claude, Jacques et Marc. Je gardais une débarbouillette sur le côté droit de la tête pour cacher mes blessures de guerre. « Je me suis cassé la tête ! » dis-je. Les yeux s'écarquillèrent. J'insistai sur le coma, les vingt et un points de suture et le cadre du vélo qui s'était sectionné sous la force de l'impact. « Allez, on veut voir », firent-ils. « C'est vraiment pas beau », dis-je. « On en a vu d'autres », répliqua Jacques d'un ton assuré. Six yeux fixaient la débarbouillette que j'enlevai, lentement. En voyant la gigantesque gale couvrant la partie droite de mon visage, ils reculèrent et laissèrent échapper des onomatopées gutturales. Je ris intérieurement, fier de mon effet… J'avais moi-même eu peur en me voyant dans le miroir ! La moitié de mon visage était croûtée de sang séché et l'autre absolument intacte. Le contraste était saisissant. Ma lèvre supérieure était si enflée qu'elle touchait presque mon nez. « Comment tu fais pour manger ? » « Avec une paille… je pompe de la soupe et des milk-shakes. »

Chaque fois qu'un morceau de gale tombait, j'allais nerveusement me regarder dans le miroir. Millimètre par millimètre, mon visage émergea, intact. Il ne resta qu'une cicatrice à l'arcade sourcilière. Mais le roc m'avait marqué au-delà du visage. Quand je retournai en classe, je n'étais plus le même. J'avais des excès de rage. Quelque chose se battait en moi. Je me sentais devenir fou. Un jour, au milieu du chahut, des cris et du bordel, je perdis totalement le contrôle. Je ne voyais plus rien. Quand j'émergeai du chaos, j'avais le dossier de ma chaise dans les mains et toute la classe rigolait. Je descendis avec les débris dans la salle de spectacle et remontai avec une nouvelle chaise, un rituel que j'allais répéter plusieurs fois avant la fin de l'année.

Le choc à la tête y était sans doute pour quelque chose. Mais le climat chaotique n'aidait pas. Quand quelqu'un demandait un dictionnaire, on le lui lançait. Tandis qu'il l'attrapait, il en recevait un autre derrière la tête. Alors le dictionnaire repartait aussi vite qu'il était arrivé et ça dégénérait. À la moindre occasion, tout le monde s'en lançait. Les dictionnaires s'ouvraient parfois en plein vol. On avait beau l'attraper en plein visage, on n'en ressortait pas plus savant. Mais les dictionnaires, eux, subissaient une profonde métamorphose. Après toutes ces heures de vol, plusieurs montraient des signes de vieillissement prématuré. À la fin de l'année, certains n'étaient plus qu'un amas de papier. Alors que le prof n'y était pas, je lançai les pages par la fenêtre. Ces pages que nous avions tournées virevoltaient avant d'atterrir dans la cour. Il neigeait en plein été. Dans cette tempête de papier, je revis la partie de ballon où j'avais été le dernier survivant de mon équipe, les amours que je n'avouai jamais et les combats où j'appris à baisser la tête. Tout ce que j'avais vécu et tout ce que j'allais vivre était là, inscrit quelque part.

Zappa de bon sens

Dimanche, six heures du matin. Je m'étire la tête pour voir de quoi a l'air le temps. Si c'est gris, je reste au lit. Mais non, le ciel est clair. La journée promet d'être magnifique. Je me lève, arrive à demi endormi dans la salle de bain, ouvre les robinets. Une fois sous la douche, c'est gagné… je ne peux plus reculer. L'eau chaude dégouline sur ma chevelure. Je suis sur la Terre. Des caleçons propres, mes fringues d'hier. J'arrive dans la cuisine. Rôties, banane, verre de lait. Je sors avec mon vélo. Dehors, une odeur âcre flotte dans l'air. Le vent de l'est charrie des relents industriels. Je pars sur mon vélo. L'air est frais. C'est formidable. J'ai la route à moi seul.

J'en ai pour une bonne demi-heure. Une interrogation se faufile dans ma tête… je la reconnais et l'ignore. Mais elle ressurgit encore et encore, comme un moustique fatigant. Je cède… Vais-je trouver de bons disques ? J'imagine les pickers occupés à tout ramasser pendant que je suis en train de pédaler. Cette pensée m'agace jusqu'à ce que ma raison fasse une sortie… Il est à peine six heures et demie, les gens arrivent rarement avant sept heures et plus souvent autour de huit. J'ai tout mon temps. L'inquiétude faiblit et disparaît doucement, absorbée par les éléments. Tout est calme. Je roule au milieu de la rue sans risquer d'être transformé en galette.

Perdu dans mes pensées, je passe dans un nid-de-poule et tombe presque de mon vélo sous la force de l'impact. Je continue, quelque peu sonné, me cramponnant à mon guidon. Ça m'arrive de temps en temps, c'est comme un droit à acquitter pour pouvoir rouler sur le pavé. Le soleil commence à m'aveugler. J'arrête pour prendre mes lunettes dans mon sac, j'y glisse mon coupe-vent et reprends ma route. L'air frais réveille les pores de ma peau. Un rat mort gît sur le dos au bord de la route.

Vingt minutes plus tard, j'arrive au marché aux puces. Je verrouille mon vélo et traverse la rue encombrée de voitures. Partout les gens déchargent leurs marchandises sur des plateaux roulants. Des dizaines de tables de bois s'allongent en rangées. Une nuée de personnes grouillent déjà à la recherche d'une occasion justifiant leur réveil matinal.

Je pénètre dans une allée et me mets en mode « chasse ». La plupart des tables sont encombrées d'objets sans intérêt. Plusieurs sont encore vides. D'autres, occupées par des professionnels. Ils sont faciles à reconnaître… ils ne vendent qu'une chose : livres, lunettes, bas… Six ou sept hommes s'animent autour de la même table. Pas de panique ! Il s'agit d'outils. Je continue d'un pas rapide, scrutant ce qui m'entoure. Tiens, une mère et sa fille. Sous leur table, un magnifique spectacle… une caisse de disques ! Je m'agenouille et en examine le contenu. Très ordinaire. Rendu au milieu de la boîte, mes espoirs s'estompent. Et puis une pochette usée, mais intéressante. Je regarde le disque. Pas d'égratignure majeure, mais les reflets pâlots des sillons révèlent qu'il a beaucoup joué. Sur l'étiquette au centre, le logo *Blues Way*. Ça s'annonce intéressant ! Je retourne la pochette. On voit une photo de Roosevelt Sykes en costard chic, fumant un cigare. Derrière ses traits durs, on devine des champs de coton. Un long texte donne l'année de sa naissance suivie de son pedigree. J'en salive. Je me redresse. La fille qui vend les disques s'approche de moi.

— Est-ce que c'est bon ? je demande.

— Très bon. Je l'ai beaucoup écouté.

Ça, je m'en doutais.

— Tu le fais à combien ?

— Une piastre !

Je plonge ma main dans mon jean et en sors un billet de vingt.

— J'ai pas de change, dit-elle... Y'é de bonne heure... On a pas encore vendu grand-chose.

Merde que je suis con... Venir aux puces avec de grosses coupures !

— Peux-tu me le garder ? Je vais faire du change et je reviens.

— Ok.

La jeune fille met le disque à l'abri des regards, derrière la table. Je reprends ma course. Il me faut briser ce satané billet. Je traverse une allée en marchant vite, mais dois soudainement ralentir. Une femme corpulente bloque le chemin. Rien à faire. D'un côté, la bonne femme et de l'autre, un attroupement de femmes autour d'une table. Je marche sur ses talons. À la moindre occasion, je double. Elle s'arrête pour parler à un autre mastodonte qui émerge de l'attroupement. Je craque ! Cinq autres collectionneurs sont dans les allées et je suis bloqué derrière ces pachydermes. C'est qu'elles en ont des choses à se dire, les madames ! Leurs voix aiguës contrastent avec leur volume corporel. Je comprends soudain pourquoi la constitution américaine prévoit que chaque citoyen peut détenir une arme. Elles reprennent leur route. Nous progressons, pouce par pouce. Mon dieu, faites quelque chose… L'une des deux pivote vers une table. J'essaie de me faufiler. Mon sac à dos accroche. Je force un peu. Et puis, victoire ! Je suis passé. Je presse le pas jusqu'à la fin de l'allée et arrive dans l'aréna où j'ai joué au hockey. L'odeur des tapis de caoutchouc me rappelle les après-midi pluvieux passés à arpenter l'endroit de long en large, à la recherche de quelque chose à faire. D'instinct, je vais au snack-bar. Les tables sont toutes occupées. Quelques personnes attendent leur commande au comptoir. J'essaie de croiser le regard d'une serveuse. Elle passe sans me voir. Elle est dans le jus, moi dans la merde. Une autre serveuse arrive avec un déjeuner. Dès que son client part, j'essaie de lui parler :

— Madame, madame…

Elle s'approche.

— Avez-vous du change pour un vingt ?

Mon regard implorant frappe une surface de verre.

— Je viens de commencer mon shift. Y'é trop de bonne heure. J'ai pas encore assez vendu.

Je reviens sur mes pas et sors de l'aréna dans le même état qu'après une défaite au hockey. Un nuage noir me suit. Partout ça grouille et j'en suis à faire de la monnaie. Soudain, une vision céleste… Derrière un chariot roulant, une jeune fille vend sodas, café, espoir. Je plane vers elle comme un vautour.

— Combien pour un muffin ?

— Cinquante cennes !

— J'en prends un.

— Quelle sorte ?

— Peu importe.

— J'ai chocolat, carottes, bleuets.

— Chocolat.

Je lui refile mon billet de vingt. Elle me regarde en grimaçant. Je fais semblant de ne pas comprendre. Elle me rend finalement la monnaie. C'est gagné ! Je mets le muffin dans mon sac et retourne dans les allées. Pourvu que je ne retombe pas sur les pachydermes. Au milieu d'une table encombrée, quelques disques communs d'Elvis à fort prix. Bien sûr, Elvis sera toujours le king ! Un peu plus loin, une caisse trône sur un coin de table. Je fonce. Mes mains plongent. Que des trucs du début des années 1980 : Simple Minds, A Flock of Seagulls, Human League… Soudain, je passe près de m'étouffer. Je reconnais instantanément cette pochette bleu, blanc, rouge qui rappelle l'emballage des gommes Bazooka. Pendant une fraction de seconde, mes yeux s'écarquillent et ma bouche s'ouvre, béate. Brian Briggs, un disque que je cherche depuis des années. Je fais un effort pour me contenir. Mais un homme m'a observé et n'a rien manqué de ma stupéfaction. Je redresse prudemment la tête.

— C'est combien les disques ?

— Ça dépend lequel.

— Pour celui-ci, dis-je en désignant discrètement la pochette tricolore.

— Cinq dollars !

— Cinq dollars ! C'est ben cher !

— J'avais un bar. Pis mon DJ, il connaissait ça.

— Faut pas exagérer quand même… Cinq dollars !

— Je sais qu'il y a des disques rares là-dedans.

— Trois ?

— C'est cinq dollars.

Je suis en train de perdre la bataille. Je dois me ressaisir ! Tactique numéro un, je sors le disque de la pochette et l'examine. Comble du malheur, le disque est impeccable. Je pivote tout de même la tête de gauche à droite pour laisser planer un doute.

— Quatre ?

— C'est cinq dollars. Si tu le veux pas, m'a le vendre à quelqu'un d'autre.

Il ne baissera pas son prix. Il sait que je m'y connais. Je songe à laisser le disque là et à repasser plus tard… Mais un autre risque de le ramasser. Eh merde ! Je sors un billet de cinq. Alors que je m'éloigne, j'ai juste envie de lui crier que ce disque en vaut vingt, pour qu'il s'étouffe, mais je me retiens. J'ai déjà assez fait le con comme ça. Je me remets en marche. Merde que j'ai été stupide ! J'ai laissé voir mon jeu, comme un débutant. Je passe ma vie à essayer de trouver des disques que je cherche désespérément et quand ça m'arrive, faut pas que je le montre ! Triste monde.

J'arrive en vue de la jeune fille qui m'a réservé le disque. Elle est là, souriante, ignorant mes récentes péripéties. Je sors un dollar. Elle me donne le disque. Je regarde la pochette un instant, la mets dans mon sac et reprends ma course. Une table inondée de jouets. Ça ne vaut même pas la peine de regarder. Quand il y a des jouets, c'est que des jouets. Plus loin, j'aperçois une caisse dissimulée derrière les jambes dodues d'une madame occupée à regarder ce qu'il y a au-dessus. Je m'approche, m'agenouille et tente d'accéder à la boîte. Les jambes sont dans mon chemin. Je songe à mordre. À ce moment, la propriétaire des jambes se tasse. Tant mieux, j'ai déjà déjeuné. À demi enfoui sous le bric-à-brac, je suis accueilli par Joe Dassin, suivi d'une série d'interprètes du même acabit. En me relevant, je me sens soudain étourdi. Mon foie, sans doute. À demi assommé, je continue ma ronde. Il n'est pas loin de huit heures. Le marché est en pleine effervescence. J'arrive à une table derrière laquelle un grand gars souriant vend une caisse pleine d'adolescence.

— Tu vas pas les regretter ? je lui lance.

— Je les ai rachetés en CD.

Je souris pour lui cacher qu'il va regretter ses disques chéris. Yes, non. Genesis, non. Gentle Giant, non. Zappa, oui ! L'album *Overnight Sensation.* Je l'ai déjà, mais celui-ci est presque neuf. Je sors le disque : mint !

— Combien ?

— Un dollar.

Un Zappa à un dollar… Quelle aubaine ! J'échange un vulgaire morceau de métal à l'effigie de la reine contre un Zappa !

— Bon marché aux puces, je dis en quittant ce gars sympathique.

Je reprends ma course et croise plusieurs hommes avec des sacs. On dirait que tous les sacs contiennent des disques… Mais non, tout le monde ne cherche pas des disques ! Tiens, une table avec une boîte à demi remplie de disques.

— Y'en a plusieurs qui sont passés, dit la dame d'une voix douce qui me glace le sang.

Je termine la boîte sans conviction. Rien. Bon, il doit être huit heures. Les collectionneurs ont fait le tour. Ça ne vaut plus la peine de perdre mon temps. Je retraverse le marché, direction vélo. Je passe devant la table de la jeune fille qui m'a vendu le disque de blues. Il y a encore pas mal de trucs sur sa table. Plus loin, je croise un homme pris dans la foule avec un plateau roulant couvert de boîtes dont une de disques.

— Est-ce que je peux regarder ? je demande en désignant la boîte.

— Attends qu'on soit rendu.

Ça risque de prendre un moment... Le plateau est encerclé par des gens qui l'empêchent d'avancer.

— Si je vous aide, vous me laissez regarder le premier ?

— Ok.

Je prends la boîte de disques, enjambe le plateau et suis l'homme, me demandant si mon effort va en valoir la peine. En me voyant transporter une caisse de disques, un collectionneur décide de me suivre. Puis un autre se met derrière lui. J'ai envie de leur dire qu'ils perdent leur temps, mais je me retiens. Nous arrivons à une table où une femme veille au grain. L'homme dépose sa boîte. J'en fais autant. Le collectionneur qui m'a suivi saute dessus.

— Hé ! Minute ! je lui dis.

Rien à faire, il est parti ! Le propriétaire de la boîte intervient :

— C'est lui qui regarde en premier, dit-il en me pointant du doigt.

Le collectionneur recule, tout penaud, comme un garnement pris sur le fait. Je me mets à regarder les disques en prenant bien mon temps. À mon grand regret, il n'y a rien. Dès que je quitte la boîte, les goélands se jettent dessus.

Rendu chez moi, je sors les disques et les mets dans ma pile de nouveautés. Mon étagère à disques couvre un mur. À la toute fin de la section rock, mes albums de Zappa. J'en ai six pouces d'épaisseur. Je fais défiler les pochettes jusqu'à ce que je trouve ma copie de *Overnight Sensation*. J'insère la nouvelle et retire l'ancienne. La pochette est usée et le disque, magané. Plus grand-chose à en tirer. Je la mets dans la pile de disques à vendre. J'ai alors une impression étrange, comme si je venais de jeter une partie de moi-même. Pris de remords, je la remets à côté de ma nouvelle copie que je sors pour écouter. La pièce « Camarillo Brillo » débute. Accords de guitare et roulements de tambour. La voix familière de Frank se superpose à la musique et fait instantanément surgir une image. Je me revois à seize ans, dans un nuage de pot, chez Pat, mon pote d'alors.

C'était un costaud, issu d'une famille modeste et peu instruite. Il compensait avec ses bras, frappant d'abord et posant les questions ensuite. Ça me plaisait. On passait des nuits à écouter du progressif dans sa petite chambre, observant la lumière de l'ampli faiblir quand le son était fort. Lui étendu sur son lit, moi assis par terre. De temps en temps, on blastait. Pat bloquait la porte de la chambre avec un exerciseur tubulaire. Puis il sortait de sous son lit une torche de propane et des couteaux noircis jusqu'à la moitié de la lame. On allumait la torche pour les faire chauffer. Quand les bouts étaient incandescents, on écrasait une boulette de haschisch entre les deux lames et on aspirait la fumée. Parfois, sa mère essayait d'entrer alors qu'on était en pleine action. On l'entendait frapper dans la porte en criant « Patrice ! » Fallait éviter de s'étouffer ou d'éclater de rire. Pat fermait la torche et attendait qu'elle parte. Ensuite, il enlevait l'exerciseur, ouvrait la porte et jetait un coup d'œil prudent dans le corridor. Ça nous calmait, pour un moment.

Pat était plus rock'n'roll que moi. Il était aussi plus populaire. Quand on arrivait à l'école, tout le monde venait lui parler. Même chose pour Harold, un blondinet excentrique que j'avais connu dans le cours de chimie. Il ne portait que des complets de feutre, ce qui allait à merveille avec ses longs cheveux blonds. Moi, j'avais beau m'asseoir sur les marches de l'école, personne ne venait me voir. De toute façon, quand j'ouvrais la bouche, rien n'en sortait, sauf des futilités qui me valurent d'être catalogué « gars plate ». Un jour que je me rendais avec Pat et Harold à un party, ils s'arrêtèrent et se tournèrent vers moi.

— Tu peux pas venir avec nous, me dit Pat... T'es pas invité.

La mort dans l'âme, je rebroussai chemin et rentrai chez moi. Je montai dans ma chambre, m'allongeai sur le lit et essayai d'imaginer à quoi ressemblait le party. Pat me faisait des comptes rendus de tous les party. C'était toujours génial. Un tel avait sauté une telle. Les filles, elles étaient toutes là. Et moi pas.

Pour être accepté des gens cool, fallait soit être un cancre, dire qu'on trouvait tout beau et extraordinaire ou vendre de la dope. Je n'envisageai pas cette dernière possibilité avec enthousiasme mais c'était le seul truc à ma portée. J'appelai André. Il me donna rendez-vous dans la cour de mon école primaire. Il commençait à faire nuit. La cour était déserte. Je me revis jouer au ballon, me faire taper sur la gueule, fumer des cigarettes en cachette. Ça me fit tout bizarre d'être là. André arriva en mobylette et s'arrêta juste devant moi, stoppant du même coup mon accès de nostalgie. Il sortit trois onces de pot de sous son imperméable poncho. Je lui remis trois billets de vingt dollars.

J'achetai une machine à rouler des cigarettes. Je roulais dans le sous-sol, en écoutant de la musique à faible volume. Je devais entendre le bruit de la porte lorsque ma mère descendait à la salle de lavage. J'avais compté cinq secondes avant qu'elle ne voie mes trucs. Au moindre crissement métallique, je mettais une couverture sur les éléments incriminants. Je ne compte pas les fois où j'ai caché mon stock juste avant d'être pris. Chaque matin, je remplissais de joints un paquet de cigarettes.

Mon concurrent s'appelait Pierre, un bouffi rigolo. Ses joints étaient plus gros que les miens… ils étaient énormes ! Moi je misais sur la surprise qu'avaient les gens en voyant des joints ayant l'aspect d'une cigarette. Ça fonctionnait. Quand je revenais le soir, mon paquet était le plus souvent vide.

Un jour que je rigolais un peu trop bruyamment dans un cours d'anglais avec Pierre,

Mme Ménard nous mit dehors. Le directeur passait par là quand on quitta la classe :

— Vous deux, vous venez avec moi.

On se regardait, Pierre et moi, en essayant de ne pas trop sourire. Le directeur était un ancien militaire. Avec lui, fallait se surveiller. Rendu à son bureau, il consulta le bulletin de Pierre et lut ses notes à haute voix. Elles oscillaient entre cinquante et soixante. Il ponctua chacune d'elles d'insultes. Son vocabulaire était impressionnant.

— C'est bien ce que je pensais, dit-il, j'ai affaire à des bons à rien.

Je m'attendais à la réprimande habituelle suivie de l'avertissement de rigueur.

— Je vous donne deux choix, continua-t-il. Ou vous abandonnez votre cours d'anglais ou vous abandonnez l'école.

C'était tombé comme un couperet. Nos sourires disparurent. Il continua de sa voix métallique.

— Ici on a autre chose à faire que de s'occuper de gens qui ne veulent pas étudier. Vous avez seize ans… on est plus obligé de vous enseigner. Ça vaut pas la peine qu'on s'acharne avec vous… Vous êtes des cancres ! Pis en regardant vos notes, c'est clair que ça veut pas étudier ce monde-là ! Qu'est-ce que vous allez faire dans la vie ? Ça, c'est pas mon problème ! Mais une chose est sûre, vous gâchez mon temps pis celui des autres.

Je voyais déjà la scène avec mes parents. Abandonner un cours, c'était inconcevable ; abandonner l'école, assez pour me faire égorger ! Le directeur prit mon bulletin.

— Voyons voir l'autre… pour le principe.

Il examina mon bulletin durant une bonne minute. Derrière ses grosses lunettes, ses yeux s'éteignirent. Il ouvrit la bouche et fit une pause avant de parler. Lorsque des sons en sortirent, sa voix rappela le son du métal qui se tord.

— Je me suis trompé, filez !

Ça avait été douloureux pour lui. On se leva et sortit. Dans le corridor, Pierre me jeta un drôle de regard. Il comprit sûrement que j'avais d'excellentes notes. Je proposai d'aller fumer un joint pour me faire pardonner. On alla sur le côté de l'école. L'air glacé du matin, les rayons de soleil froid… on était désormais copains. On alluma un joint. Je ne me souviens pas si ce fut un des siens ou un des miens.

Pierre et Pat étaient dans mon cours de morale. Notre prof était très cool. Rien ne semblait le déranger. Au-dessus de tout, il planait. Un jour, il sortit de la classe durant le cours.

— Envoye… allume un joint, me dit Pat.

Je le regardai, me demandant si j'avais bien compris.

— Envoye, envoye, on perd du temps…

Ne voulant pas passer pour un dégonflé, je sortis un joint, l'allumai, pris une bonne bouffée et le passai à Pat qui se mit à pomper, pomper, pomper… si bien qu'il s'étouffa et se mit à tousser. Il le passa à Pierre qui pompa lui aussi un bon coup et le donna ensuite à un autre. On était quatre ou cinq à se passer le joint en s'étouffant dans un gros nuage de fumée. Les autres nous regardaient, ébahis. Le joint fondit en un temps record et me revint. J'étais pris avec la pièce à conviction. Pierre courut ouvrir une fenêtre. Je lançai le mégot dehors… juste à temps! Le prof entra. On s'assit tous à nos bureaux. Ça sentait le pot à plein nez. Le prof ouvrit une fenêtre, regarda à l'extérieur et se retourna vers nous. Son regard se porta sur quelques présumés coupables. Au moment où il me regarda, je fis un rot et un petit nuage sortit de ma bouche…

Le prof comprenait les signaux de fumée. Il vint me voir : « Pas de truc de blastage », dit-il. Il avait sans doute entendu le mot « blaster » qu'on utilisait entre nous. Il alla à l'avant de la classe et reprit le cours. On se regardait en souriant, Pierre, Pat et moi. Je me penchai vers Pierre : « Heureusement c'était pas un des tiens… on aurait encore été en train de pomper quand y'é rentré ! » Pierre se mit à rire. Pat se retourna pour savoir ce qui se passait.

Je connus une de mes bonnes clientes dans mon cours d'anglais. Une rousse aux lèvres charnues et aux traits un peu exagérés. Elle vint me voir un après-midi, mais je n'avais plus rien. Je lui en offris pour le lendemain. Le visage enjoué, elle me regarda de ses yeux ronds : « Peux-tu me faire une livraison ce soir ? »

Elle travaillait dans un dépanneur voisin d'un cimetière. J'attendis dehors qu'elle termine. Elle sortit avec une caisse de bières. On monta dans la camionnette de son frère stationnée à côté du dépanneur. On fuma et but quelques bières. Je ne me souviens plus très bien de la suite, à part qu'elle m'a sauté dessus, qu'on a baisé et que je suis venu rapidement. J'étais gêné. J'avais perdu ma virginité avec une fille qui me branchait pas trop. Une inquiétude m'envahit et s'estompa avec l'alcool et le pot. Ces substances engourdirent aussi ma mémoire puisque je retournai la voir. La camionnette n'y était pas. On alla dans le cimetière. La nuit tombait. On s'assit au pied d'une tombe. Elle me passa une bière mais on n'avait pas de débouche. J'appuyai le goulot contre le granite et, de la paume, donnai un coup sec. Un premier bouchon roula dans l'herbe, puis un second. Avec notre joint et nos bières, on était bien, malgré les petites gouttes de pluie. On fuma et fuma. Plusieurs autres bouchons roulèrent dans l'herbe. Puis ce fut notre tour. Elle me sauta dessus. Je roulai avec elle. La pluie se mit de la partie, pour nous laver de nos péchés. Faut croire que quelque chose de sérieux s'en venait, car l'averse tourna au déluge. On rampa jusqu'à notre pierre située sous un arbre. On se faisait mouiller quand même. Son abondante chevelure ruisselante, la pluie pénétrant sa bouche ouverte au ciel, les éclairs, l'eau partout… Emporté par l'alcool et noyé dans ce tourbillon de fureur humide, j'y allai moi aussi d'une généreuse contribution. Pour être généreux, ça l'était.

— Cou donc… ça pisse don ben ce truc-là, dit-elle.

— Ouin, je viens beaucoup.

Je continuai de pisser, la pierre glacée contre mes fesses.

Avez-vous du PIL ?

Je passe devant un chic café d'un coin branché du centre-ville. Portes grandes ouvertes, tables à l'extérieur. Les gens qui réussissent se pavanent. Ils ne réussissent pas grand chose à part berner les imbéciles. Depuis des années que je passe là. La vue de ces gens heureux et cons me donne toujours envie de vomir. C'est peut-être la fausseté qui se dégage de ces fosses communes vitrées. Ou les parfums dégueus. Je suis peut-être jaloux ? Une chose est sûre, j'ai rien à y foutre. Pas plus que dans ce magasin où j'entre pourtant comme un con, comme si je ne savais pas ce qui m'y attend.

Quelques pieds carrés de lignes épurées et de couleurs choisies. Au mur, des pochettes rappellent l'aspect ultra-léché du magasin. Elles se ressemblent toutes. On dirait une franchise où logo, mobilier, design et couleurs sont identiques pour qu'on la reconnaisse instantanément. Un gars au look étudié pose derrière des tables tournantes. À lui voir l'allure, son sphincter ne s'est pas dilaté depuis un moment. Et la rate, depuis plus longtemps encore. Jamais vu plus sérieux. S'apprête-t-il à sauver une vie ? Mais non… Il fait jouer un beat on ne peut plus régulier, idéal pour passer l'aspirateur. Ok, ça doit être moi qui ne saisis pas. Je tends l'oreille. Rien. C'est ennuyeux. Pas musical pour deux sous. Je m'approche à quelques pas de lui. Il ne lève pas les yeux. Je n'existe pas. Un furtif coup d'œil aura suffi quand je suis entré pour constater que je ne fais pas partie de sa clientèle. Inutile de perdre sa noble salive avec moi. Je vais me débrouiller seul. Quoi de neuf sur la planète DJ ? Techno, house, drum and bass… Tous faits avec les mêmes machines, les mêmes logiciels, les mêmes sons. Alors peu importe l'appellation, c'est toujours un peu le même truc. Une section R&B ! Je bondis… pour rien ! C'est du rap et en me fiant aux pochettes criardes, ça s'annonce pas génial. Sur un mur, des compils avec le mot « funk » écrit en gros.

Enfin de la musique ! Je m'approche de ces alléchantes pochettes. Voyons voir… Hum… Pas mal, bien qu'un peu hétéroclite. Ils ont glissé quelques pièces disco mais bon, ils se sont donnés tellement de mal avec le graphisme. Quarante dollars ! Je remets la pochette au mur et regarde autour de moi. Des sacoches à disques avec un joli logo. Quatre-vingts dollars. Des caisses en alu pour transporter le précieux vinyle, intérieur rembourré et isolé. Deux cents dollars. Des tables tournantes et des mélangeurs. Beaucoup, beaucoup de dollars. Bon, on repassera au boxing day. Je reviens sur mes pas et m'arrête devant une pile de flyers. Facture graphique semblable à tout ce qui se trouve ici. Des posters annoncent des événements. Les noms des DJ dominent l'affiche. On ne voit qu'eux. Pas étonnant que ça se prenne tant au sérieux. Quand on fait partie de la secte, on s'engage à pratiquer le rituel du mix, c'est-à-dire fondre des bpm stériles, des quatre / quatre sans originalité. Affublés de beaux habits, debout derrière l'autel surmonté des tables tournantes, ils font jouer des grooves, ces amalgames de sons savamment organisés. Rampant à leurs pieds, une tribu de clones sans personnalité les adule. Bon, où est-ce que j'achète mon billet ?

Dehors, ça pullule de drogués au dress code et de mannequins, friandises de luxe, ultimes accessoires des Ferrari, Porsche et Jaguar. Fantasmes réservés aux mafieux. Pouah ! Quelle partie ignoble du centre-ville. Une rangée de Harley Davidson. Ces belles mécaniques ont plus de personnalité que les gens du coin. Elles appartiennent sans doute aux gentils doormen bourrés de stéroïdes, alors attention. Dans une vitrine, des sacoches dispendieuses mises en valeur par un éclairage froid. Le magasin est désert, mais la mode est là. Implacable. Me rappelle que je suis out. Bon, rien à faire dans ce coin maudit qui pue le bon goût.

Je sors de ce nuage artificiel et arrive dans la puanteur et le gaz carbonique. Ça sent bon. Les gens sont ordinaires. Ce sont des fourmis, mais au moins elles ne se prennent pas pour autre chose. Elles savent qu'elles ont un trou de cul et que c'est par là que sort le gros de leur production quotidienne. Je tombe sur la main. On reconnaît une vraie main par le nombre de McDo aux cent mètres. Aux néons qui invitent à aller se branler en privé. Aux magasins dans lesquels on n'a pas les moyens d'entrer. Au nombre de quêteux au pied carré. À la diversité des visages. Peu importe la race, ils sont perdus. Tout ce beau monde converge vers nulle part. Pressé d'y arriver par-dessus le marché !

Partout des tours à bureaux se dressent, sans qu'on sache trop ce qui s'y passe. Dans ces manufactures en hauteur, la vitesse de la chaîne de montage est régie par des conventions collectives. Les machines ont été remplacées par des écrans et des claviers. L'individu s'use de l'intérieur. Ça paraît moins. On y produit des montagnes de papier. Chaque matin, les fourmis vont à la fourmilière. Après trois quarts d'heure d'embouteillage et trois minutes d'ascenseur. On franchit le seuil de la compagnie et zap, on ne s'appartient plus ! Le sourire de la réceptionniste fait oublier qu'on entre dans une usine. Mais le déferlement de gens dont la vie intérieure et le sort de la compagnie ne font qu'un rappelle que le travail est dangereux. Les bonjours-bonjours du patron souriant donnent le départ de la chaîne de montage. Pour les fourmis, ça fait partie d'une attitude positive. Pour le patron, d'un management efficace. Et là, rien ne va plus… travailler vite, manger vite, chier vite. N'importe quoi pour augmenter le dividende des actionnaires. Cette vie trépidante est entrecoupée de pauses chronométrées et de réunions où l'on discute durant des heures de détails insignifiants. Ces réunions sont en fait des immersions à la culture corporative, sorte de religion où l'allégeance de la fourmi est discrètement mesurée et évaluée. Vers six heures, une Mexicaine vide la poubelle et ramasse les tasses vides. Alors que l'équipe de nuit s'installe, on retrouve provisoirement sa liberté. Après quarante-cinq minutes de matraquage publicitaire à la radio, on arrive enfin chez soi. On ouvre la télé et on se fait balancer d'autres pubs. À dix heures, le lecteur de nouvelles déballe sur le même ton neutre, inepties, guerres et catastrophes. On songe : « Au fond, je suis chanceux… je suis mieux que ces pauvres malheureux. » La nuit aidant, on finit par y croire. Et au moment où l'on s'est enfin réconcilié avec l'existence, au seul endroit où tout est encore possible, le rêve, le dring strident du réveille-matin annonce que ça recommence.

Cinquante mille par année, deux semaines de congé payé et des avantages sociaux. Voilà ce qu'il faut pour amnésier prématurément les gens. En prime, il y a l'engourdissement de la cervelle qui se met à voir de la grandeur dans l'esclavage, le viol des consciences et le ravage de l'humanité. Et puis courir, dépenser, oublier, consommer comme un con, comme un désespéré. À n'importe quel prix, s'imperméabiliser contre l'humiliation qu'on subit ou inflige, ça dépend de la chance a-t-on appris. Survivre dans l'air glauque du centre-ville, mélange de poisons, stress, cris et drames humains étouffés par des déodorants qui empêchent de transpirer jusqu'à l'âme. Exploités et exploiteurs sur un pied d'égalité. Rester en vie dans ce labyrinthe d'édifices gris et de cathédrales miroirs. Blancs, jaunes, noirs, l'argent n'a pas de couleur. Tous sont pressés. À grands pas, ils fuient la pauvreté qui est là, étalée, palpable.

Au milieu de l'abondance, une multitude vit dans la rue. On ne les remarque même plus. Un clochard dort sous l'un des rares arbres du centre-ville. Un autre nourrit cent pigeons. Plusieurs sont posés sur lui. Le monument à plumes bat des ailes, prêt à s'envoler. Sur un coin de rue, des squeegees lavent des pare-brise. Ils astiquent et font reluire les vitres de gens qu'ils détestent sans même les connaître. Le sourire en plus. Sont pas fous. Veulent faire des sous. Quand ils en auront assez, ils iront se laver les neurones dans une ruelle quelconque. Déambuleront dans le métro, les lieux publics, dormiront n'importe où... Alors que je marche sur le trottoir, l'un d'eux m'aborde de façon brillante et originale : « Un peu d'argent, monsieur. » Ça me fait toujours bizarre d'être appelé « monsieur ». J'observe sa tenue : manteau en cuir noir avec des studs et longues bottes Doc Marten. Il en a pour quelques centaines de dollars. J'ai l'air d'un quêteux à côté de lui. Sur son manteau, des noms de groupes de musique peints en blanc. Je ne vois pas le logo de Public Image. Dommage pour lui... S'il avait eu ce logo sur son froc, je lui aurais peut-être donné quelque chose.

J'arrive devant une vitrine crasseuse... Une guitare avec une main postiche accrochée au manche. Sous une lampe-palmier en plastique, un vieux pick-up avec des pochettes loin de leur époque. J'entre. Atmosphère relax. Pas d'éclairage au quartz. De vieux néons au plafond. Quelques disques-trophées accrochés au mur derrière un comptoir, tout ce qu'il y a de plus ordinaire. On peut péter en paix. Bruno surgit du fond du magasin. En me voyant, il fait un sourire familier. C'est ce même sourire qu'il me fait depuis vingt ans, signifiant à la fois que je suis en terrain connu et que je dois me méfier. Je dépose mon sac sur le comptoir, comme un écolier qui vient montrer ses devoirs.

— J'ai du stock pour toi.

— Veux-tu de l'échange ou de l'argent ? dit-il d'un air indifférent.

— M'as aller voir ce que t'as pis m'as te dire ça.

Je sors les disques du sac. Bruno les trie et fait deux piles. Ensuite, il sort chaque disque de sa pochette, observe chaque côté durant deux secondes sous une grosse lampe, le remet dans sa pochette et dans une des deux piles. J'observe la physionomie blasée de Bruno. Un souvenir émerge. C'était au début des années 1980. J'étais dans un entrepôt à SoHo, émerveillé par tous ces disques partout. J'avais dit au patron, un Juif, que j'aimerais moi aussi un jour travailler dans la musique. Il m'avait répondu : « If you really like music, don't work in it. » Je hochai la tête pour lui montrer que j'avais compris. Mais je me demandais bien ce qu'il avait voulu dire. Je ne comprenais pas grand-chose à son accent new-yorkais. Les mots tournèrent un bon moment dans ma tête sans que je puisse en saisir la signification. Quand j'ai été bien certain de ses paroles, je compris encore moins. Pourquoi me déconseiller de travailler dans la musique ? Des années plus tard, alors que je travaillais comme DJ, ces paroles prophétiques prirent tout leur sens.

Je longe un mur couvert de pochettes. Pierre Henry, Yma Sumac, Esquivel, Miles Davis. Ces petits tableaux magnifiques me narguent et m'étourdissent. À travers les pochettes de carton, j'entends les sirènes d'Homère. Si je reste là, je suis cuit. Je me sauve dans la section « musique noire ». Une vingtaine de caisses s'alignent. J'en ai pour une demi-heure, en allant vite. Mes doigts pianotent. Les pochettes défilent. La vie est belle. Je suis lentement anesthésié par ce matraquage visuel. Isaac Hayes, Curtis Mayfield, Sly Stone… ça éveille des impressions chaudes, colorées. Une sensation de bien-être m'envahit. Ces gens que je ne connais pas sont devenus mes amis. Ils ont bouleversé ma vie et ont donné une âme aux États-Unis.

Bruno passe derrière moi avec une pile de disques sous le bras :

— J'ai fait une pile… J'te donne trente en argent ou quarante en échange.

— Ok.

Il sort un disque que je n'ai pas remarqué.

— Connais-tu ça?

— Ça me dit de quoi…

— Ils ont joué avec Herbie Hancock.

— Ah, oui… Headhunter. Bof, c'est pas terrible.

— Herbie Hancock joue pas sur celui-là. C'est écœurant.

Sur la pochette, de drôles de dessins aux couleurs délavées. À l'endos, les musiciens. Tous noirs. J'en connais aucun.

— Achète ça les yeux fermés! me dit Bruno. C'est un des meilleurs disques de funk que j'ai en ce moment.

Une pellicule plastique enrobe le disque. Il s'agit d'une réédition. Ma fibre puriste s'insurge.

— J'aimerais mieux acheter un original.

— Oublie ça… Un original va te coûter environ cinquante dollars! Et ça, c'est si tu le trouves.

Ma fibre comptable prend note. Bruno laisse le disque sur la pile. Je lui montre un disque de George Clinton. Il le regarde à peine. «C'pas son meilleur… T'es ben mieux avec

Headhunter. » Bruno va plus loin dans la rangée et sort un autre disque. Lorsqu'il se retourne, son visage a changé. La passion y fait une brève apparition. Durant cette fraction de seconde, je le revois saoul sur la piste de danse d'un bar. Telle une baudruche sur l'acide, il faisait des steppettes grotesques pour m'imiter quand je dansais. Tout le monde rigolait. Même moi, je devais admettre que c'était drôle.

— C'est le disque qui m'a fait découvrir le funk, dit Bruno.

Sur la pochette, un étrange mélange de symboles ésotériques et zodiacaux.

— C'est produit par Normand Whitfield, un gars des Temptations, précise-t-il.

J'ouvre la pochette. À l'intérieur, les musiciens portent des perruques frisées grises et ont le visage couvert de peinture argentée. Flyé en bibitte ! J'essaie d'imaginer Bruno en train d'écouter cet album dans une chambre bordélique, une bière à la main, émerveillé comme l'est un enfant qui reçoit un nouveau jouet.

— Au fait, quel est le meilleur Curtis Mayfield ? je lui demande.

— Ces deux-là sont très bons, répond Bruno en sortant deux disques.

J'observe les pochettes. L'un est la bande sonore du film *Superfly*. Sur l'autre, on voit Curtis Mayfield assis sur le sable, vêtu de jaune, observant l'horizon. Les deux pochettes m'inspirent. « Entre les deux ? » je demande. Bruno prend le temps de regarder les chansons de chaque disque. « Sur lui, t'as un paquet de classiques », dit-il en pointant la fameuse pochette jaune. « C'est aussi le plus rare ! » Il retourne au comptoir. Une demi-douzaine de pochettes sont pêle-mêle sur les boîtes de disques. Après un douloureux processus de sélection, il reste trois disques que j'apporte au comptoir. Rendu là, je compte les disques que Bruno prend. Ensuite, je vérifie la pile qu'il a laissée de côté.

— Pourquoi tu les prends pas, ceux-là ?

— C'est de la marde !

Je sors un disque de Public Image de la pile.

— C'est d'la marde, ça ?

— Y'é magané.

— Pas tant que ça.

Bruno sort le disque de sa pochette et le met sur la table tournante. Un peu de bruit de pop-corn puis la pièce débute. C'est vrai que le disque a joué. Mais il n'a rien perdu de sa puissance. Je suis transporté dans une contrée sombre, un endroit où je ne suis plus allé depuis un bon moment.

J'avais dix-sept ans. J'étais au milieu d'une chambre, assis sur un tabouret. Mes cheveux châtains m'arrivaient aux épaules. Les murs étaient tapissés d'images de viande. Steak haché, t-bone, filet mignon, bœuf en cubes, escalope de poulet… Un magnéto générait une cacophonie : un annonceur vantant une poudre à récurer, coupé net par le chanteur des Sex Pistols crachant son venin, interrompu par l'anesthésiant speaker de la station d'État, coupé à son tour par Bob Barker… « And the actual retail price is seven hundred and eighty nine dollars. » Toutes les dix, quinze ou vingt secondes : Bugs Bunny, le pape, des pubs, du punk… sans fin. Simon entra et me mit une serviette autour du cou. « As-tu changé d'avis ? » demanda-t-il. J'eus une hésitation. J'observai sa tête. Il avait les cheveux au ras du crâne. Il me prit une grosse couette et la coupa net. « Là, y'é trop tard », ajouta-t-il. À mesure que les mèches tombaient, mon esprit s'allégea. Passé, famille, éducation… Tout s'évapora. Ma naïveté enfantine fit place à l'implacabilité adulte. L'amour de mes semblables se changea en haine de mon prochain. Mon cerveau reptilien fit une OPA sur ma conscience. Je changeai de peau. Lorsque ce fut terminé, je passai ma main sur le côté de ma tête et sentis des poils courts et des trous ici et là. J'eus une formidable sensation de puissance. Je n'étais plus un mouton parmi la foule. Rien ne pouvait plus m'arrêter. Personne ne pourrait plus me contrôler.

Notre bande s'appelait les Mentals. En plus de Simon, il y avait Harold, un blondinet adopté qui vivait dans la plus grosse maison de la ville. Il s'était rasé au milieu et pas les côtés. Il continua aussi de porter ses complets en feutre, ce qui, au sein d'une bande de punks, était plutôt bizarre. Le dernier à se faire raser fut André, celui qui m'avait vendu mes premières onces de pot, sacrilège effectué dans la cour de mon école primaire.

Un jour, on clopinait tous les quatre dans un élégant quartier du centre-ville. Rasés, maquillés, vêtements déchirés. Notre allure jurait avec les vieilles maisons en briques et les grands arbres émergeant du gazon frais coupé.

— C'est pas drôle, la misère, lança Harold.

— C'est vrai qu'à côté de chez toi, c'est la pauvreté ici, ajouta André.

Harold alla jusqu'à la porte d'une maison et frappa. Une femme dans la cinquantaine ouvrit.

— Avez-vous du Public Image ? demanda Harold d'un ton courtois.

— Du quoi ? fit la madame.

— Du Public Image, répéta Harold.

Elle nous observa quelques secondes, sentit qu'il se tramait quelque chose et referma nerveusement la porte. Elle nous observa ensuite par une fenêtre. « On essaye avec le voisin », dit Harold. Je frappai à la porte. Un homme ouvrit, l'air mécontent. On interrompait le cours de sa vie. « Avez-vous du Public Image ? » je demandai. L'homme demeura bouche bée. « C'est un groupe de musique », lança André. L'homme resta dans l'embrasure de la porte, se demandant ce qu'on lui voulait. Habitué d'être obéi des domestiques d'un claquement de doigts, Harold s'impatienta... « On veut écouter du Public Image ! », aboya-t-il tout en tapant du pied. L'homme referma la porte. Il n'aurait sûrement pas été engagé comme domestique chez Harold, qui y alla d'une proposition sensée et raisonnable : « On fait toute la rue jusqu'à ce qu'on trouve quelqu'un qui en a. » Simon essaya la voisine, avec son incroyable charme : « Pardon, madame… belle journée n'est-ce pas… auriez-vous du Public Image ? », prononçant le nom du groupe à la française. Une autre porte se ferma. Après avoir vu plusieurs modèles se refermer, on abandonna.

— C'est pas ben ben populaire, dis-je.

— Ça doit pas être drôle de faire du porte-à-porte, dit Harold.

— Je pourrais peut-être me monter une clientèle de même, lança André qui continua en prenant la voix caricaturale d'un annonceur de la télé : « Bonjour madame… Vous avez des enfants ? J'ai ici un assortiment de haschisch et de cannabis… Vous m'en direz des nouvelles ! Et avec ce kit pour faire vous-même votre acide, fini les bad trips ! »

On continua de délirer en marchant au milieu de la rue. Un jour ou l'autre, quelque chose allait nous frapper. Mais pour l'instant, nous étions invulnérables.

La musique était notre religion, notre église, un night-club : le Shoeclack déchaîné. Une file d'attente descendait jusqu'au milieu de l'escalier. Je me frayai un chemin à travers les gens, les bousculant au besoin. Ils me regardaient monter sans dire un mot. Lorsqu'il me vit, le portier enleva la corde pour me laisser entrer. Il la remit immédiatement après, histoire de bien laisser pourrir les nouveaux. Je me faufilai parmi une faune des plus bizarres. Normalement, j'en avais pour une demi-heure juste pour passer l'entrée. Mais un client se pointa, ce qui me permit de quitter le comité d'accueil prématurément. Je lui dis de me suivre et pressai le pas pour éviter d'être arrêté. J'entrai en trombe dans ce qu'on appelait le « bureau », de minuscules toilettes aux murs couverts de gribouillis, et sortis une gélule bourrée de PCP.

— Est-tu bonne ? demanda le client.

— Y'a personne dans l'bar qui a de quoi qui va t'brûler plus de cellules que ça !

Il leva la tête. À ses yeux injectés, je vis que les cellules de son cerveau exigeaient une dose de chimique, n'importe quoi et vite.

— J'peux te la faire essayer…

— Non, non. C'est correct.

Je lui donnai la gélule. Il me paya et sortit. Ensuite, je cognai à la porte de la toilette. « Oui, oui, minute, là… » Cette voix gutturale m'était familière.

— Hostie d'Harold. Qu'est-ce tu fais là ?

— Qu'est-ce tu penses que le monde fait aux chiottes ?

— Justement... toi t'es pas du monde.

Il ouvrit la porte. Sur le réservoir de la toilette, un paquet de cigarettes avec une ligne de poudre.

— Tu fais de la géométrie ? dis-je.

— Comment ça ?

— Ben, tu fais des lignes...

Harold ne saisissait pas tous les gags, mais quand il allumait, il se reprenait pour les autres fois... Il se mit à rire exagérément. Je fis la dernière ligne, tel un réflexe, et sentis une brûlure au niveau des sinus.

Je sortis des chiottes et allai me planter dans l'ouverture de la cabine du DJ. Derrière ses petites lunettes rondes, Serge savait pourquoi j'étais là... Il sortit un disque avec, au centre, un logo doté des lettres P.I.L. Satisfait, je retournai attendre près de la piste. Aux premières notes, Jacques sauta dans la mêlée. Les nouveaux s'éclipsèrent. La piste fut envahie par ceux qui avaient du sang punk ! Ça se mit à slammer et à pogoter. Je sautais violemment sur place. Jacques aimait faire sentir son autorité en la matière. Il marchait de façon saccadée comme s'il avait avalé une grande tige d'acier. Très brusque, il accrocha plusieurs personnes, leur rentrant carrément dedans. D'autres se mirent aussi à bousculer les gens. L'amas humain prit la forme d'une vague serpentant d'un côté à l'autre de la piste. Lors d'une collision particulièrement violente, Jacques fut éjecté de la piste. Pas pour longtemps… Il prit un élan et sauta dans le tas ! Plusieurs furent renversés. Le portier arriva en trombe au milieu de la mêlée et sortit Jacques en le bousculant jusqu'à la sortie. Il revint voir Serge et lui dit de ne plus faire jouer du PIL. La pièce suivante contrasta. La piste se vida au complet et se remplit aussitôt de sang neuf. J'allai rejoindre Harold et André dans les vieux fauteuils finis et observai les gens danser. La plupart étaient des novos[1], clientèle moins rebelle et plus fortunée, de plus en plus nombreuse. Je partis le bal :

— C'est ben beau d'être punk, mais faut slammer de façon sociale.

— Ouin, faut pas piler sur les pieds des gens, lança André.

1. Nouveaux.

— Peut-être qu'on devrait s'excuser chaque fois qu'on accroche quelqu'un, ajouta Harold.

— On pourrait demander la permission, suggéra André… Excusez-moi… est-ce que je peux vous piler sur les pieds ?

— On pourrait se mettre des pantoufles pour que ça fasse moins mal, proposa Harold.

— Vous avez pas compris, dis-je. Ce que les gens veulent, c'est qu'on leur baise les pieds !

Tout en parlant, j'eus l'idée d'une nouvelle mise en scène… Je me mis à quatre pattes et retournai vers la piste, suivi de Harold. Une fois rendu, on se mit à embrasser les souliers des gens. Ils levaient les pieds auxquels on restait accrochés en faisant mine de rien. Ensuite, on se roula à terre, poussant les danseurs qui se mirent à chanceler telles des quilles ébranlées par le passage de mabouls. Les gens s'entêtaient à danser. Ils levaient leurs jolis petits souliers et les reposaient doucement.

London Calling

Il est tôt. Le soleil fait regretter les nuages. Je marche en plissant les yeux et remarque un vélo ou ce qu'il en reste après avoir passé l'hiver dehors. Attaché à une clôture de fer forgé, rouillé, les roues pliées, il attend son maître ingrat. Sur un poteau de téléphone, quelques affiches… «Chat perdu, récompense si retrouvé». Je ne vois aucun chat à l'horizon. «Vente de garage». C'est à deux pas.

Je pénètre dans une longue entrée étroite entre deux édifices de briques. Sur une table, du tupperware et de la vaisselle. Des enfants et des mères sont dans mon chemin. Je débouche dans une cour intérieure qui sent la pauvreté. Tout est sec. Les gens, les yeux, les cœurs. Les tables sont couvertes de sécheresse. Best-sellers, revues, fringues, objets… tout est dénué de vie. Le tout, parsemé de petit monde. Visages crevassés, dents ébréchées, sourires ridés. Ils sont comme attachés les uns aux autres. De table en table, la même petite madame à lunettes. J'ai l'impression d'être dans l'opinion publique, entouré de statistiques. J'avance doucement dans la majorité silencieuse et repère une boîte à terre. Aussitôt accroupi, je suis assailli par l'odeur de carton moisi. Les pochettes ondulent… sûrement des disques entreposés dans un sous-sol. Chaque pochette apporte une fine dose de poussière. Pouah ! J'étire la tête vers l'arrière, retiens mon souffle et passe le reste de la boîte en un éclair. Rien. Je quitte ce triste endroit. Les mêmes femmes et les mêmes enfants sont dans l'entrée. On dirait des accessoires de cinéma pour un tournage annulé il y a des années. Ils ont été oubliés là, dans le temps. Je regarde les babioles pour éviter de subir à nouveau la misère.

Sur un coin de rue, une énorme affiche annonce une autre vente de garage. Je pénètre dans la ruelle, sceptique… les gens annoncent souvent en gros qu'ils n'ont rien. Une fois dans la ruelle, je n'en crois pas mes yeux… plusieurs installations de fortune sont couvertes d'objets divers. Ils doivent être une dizaine à faire une vente. Dans une boîte de récupération, des disques. À peine ai-je commencé à faire défiler les pochettes, je tombe sur un Stranglers... dix dollars! Il y a d'autres trucs intéressants mais toujours chers. Mes espoirs s'estompent à mesure que les pochettes défilent. Et puis, une pochette avec une espadrille Converse. Wow! Un John Lee Hooker. Pas de prix.

— C'est combien quand y'a pas de prix?

— Un dollar, répond un jeune homme.

Je sors. Un autre John Lee Hooker, celui-là sur le fameux label Chess. Je sors. Un B.B. King, live. Je sors. Un disque inconnu sur un label obscur. *Blues and Boogie-Woogie Piano*. Peut-être une perle... Je sors. Un autre truc inconnu. Trois Noirs en salopettes devant une Rolls Royce. La pochette fait années soixante. Je sors. Tous ces disques n'ont pas de prix... ils sont donc à un dollar! Le gars est tombé sur la tête. Il demande une fortune pour l'alterno et donne son blues! Je me redresse et lui donne ma pile. Il compte les disques et lève les yeux vers moi: «Ça fait cinq dollars.» Je sors l'argent et ouvre mon sac.

— T'aimes le blues? demande-t-il.

— Ouin.

— T'aurais dû voir ce que j'ai vendu l'autre jour.

— Qu'est-ce t'as vendu ?

— Plein de trucs. J'avais des disques de…

— Ah pis, je préfère pas le savoir… Au fait, pourquoi tu les vends ?

— Je les ai rachetés en compact.

Le gars est sympathique. Il vient de me faire un cadeau. Je vais pas gâcher sa journée en lui disant ce que je pense des disques compacts. Je me contente de hocher la tête. Quelle bonne pêche.

Quelques rues plus loin, une autre affiche : « Vente de déménagement ».

J'accélère le pas. Les ventes de déménagement sont les plus excitantes. Les gens liquident tout. On peut trouver des trucs vraiment bon marché. Je tourne le coin et marche en surveillant les adresses. Un maigre amoncellement s'étale sur le trottoir. Pour des gens qui déménagent, c'est peu. Un ordinateur MacIntosh semblable au mien et une imprimante sur une table de jardin entourés d'objets sans intérêt. Ça me fait tout drôle de voir mon ordinateur à vendre pour trois fois rien. Pas de disque. Merde ! Je m'apprête à partir quand je risque une question :

— Avez-vous des disques ?

Les deux filles se regardent.

— On n'a pas eu le temps de les sortir, répond l'une d'elles.

— Je peux aller les chercher si tu veux.

— Non, c'est pas nécessaire.

Une fille entre à l'intérieur. Super ! Je vais être le premier à les voir. Mon pouls accélère. Elle revient avec une lourde caisse qu'elle dépose sur son perron.

— On en a d'autres mais mon chum veut les garder.

— C'est combien ?

— Vingt-cinq cents chaque.

À ce prix, je compte en prendre plusieurs. Mais il n'y a pas grand-chose… Une avalanche de Rush, Supertramp, Styx… et puis… un Pierre Henry ! Une pochette métallisée dans la série prospective du XXIe siècle. Qu'est-ce que ça fout là ? Je sors. La fille arrive avec une autre boîte : « Finalement, on va tout vendre. » J'accélère la cadence et saute sur la nouvelle boîte. Du stock plus récent, de l'alterno. Les Damned, Yello, Propaganda, Soft Cell, Human League, Anne Clark, R.E.M… À la fin, j'ai une trentaine de disques. Je les vérifie un par un et termine avec une vingtaine. La fille compte la pile : « Huit dollars ». Moins cher qu'un CD usagé ! Je mets la pile dans mon sac. Alors que je me démène avec le zipper, René arrive dans son manteau turquoise avec deux sacs de disques. Heureusement, je suis passé avant lui ! « René ! », je lui crie. J'ouvre mon sac et lui montre les disques de John Lee Hooker. Il regarde la pochette avec l'espadrille.

— Ça, c'en est un bon.

— Combien ça peut valoir ?

— Dix, peut-être douze.

— Et celui-ci, je dis en montrant l'autre disque de John Lee Hooker.

— Ça, c'est une réédition.

— C'est sur Chess.

— Bof, peut-être dix.

Je sors un de ceux que je ne connais pas.

— Ça c'est un label rare. Mais c'est pas des gens connus… Bof, peut-être vingt.

Je sors le dernier.

— Ça, je connais pas ça. Ça peut être ben bon ou ben pourri. Mais ça vaut sûrement pas moins de vingt.

Satisfait, je remets mes disques dans le sac. Une fois le zipper vaincu, je m'approche de René en train d'examiner la première boîte. Il sort un disque que je n'avais pas remarqué.

— C'est quoi ? je demande.

— Un truc des années soixante.

Mon cœur se met à battre. Suis-je passé à côté d'une perle ?

— Du folk, poursuit-il.

Ouf ! Je suis rassuré. Il observe le disque et le met de côté.

— Tu l'as sûrement déjà, je dis.

— Oui, mais je sais pas combien de fois.

Dans la seconde boîte, il sort un disque que j'ai failli prendre.

— C'est comment ça ? demande-t-il.

— Bof, de l'alterno... Pis pas dans ce qui s'est fait de plus brillant, je réponds avec une pointe de fierté.

Pour une fois, je m'y connais plus que lui. Il le prend et en sort une douzaine d'autres, des trucs assez ordinaires. Ça fait drôle de le voir prendre des merdes. Il paie. On se met en route avec nos sacs.

— Qu'est-ce tu vas faire avec les merdes que t'as achetées ? je demande.

— J'ai une plug... un magasin qui me donne une piastre du disque, peu importe ce que c'est.

Ses sacs semblent soudain moins attrayants. Je suis quand même curieux de savoir ce qu'ils contiennent. Je lance un appât.

— La pêche a été bonne ?

— Bof, pas grand-chose.

— Pas de funk ?

— Non, le funk c'est rare. On en trouvait dans les années quatre-vingt. Dans les années quatre-vingt, les gens se débarrassaient de collections complètes.

— T'as dû tomber sur des choses incroyables.

— Une fois, une madame vendait la collection de son fils qui était parti de la maison. Elle avait trouvé des boîtes de disques dans une garde-robe et avait décidé de tout vendre. C'était toute du psychédélique…

Il s'arrête et se tourne vers moi. Dans ses yeux rieurs, je perçois l'enthousiasme qu'il a éprouvé. Il se met à rire en gigotant. Tout son corps est secoué, tel un père Noël.

— Des Electric Prunes à une piastre !… Y'en avait tellement, j'ai pas pu tout ramasser. Même à une piastre, j'avais pas assez d'argent pour tout prendre. C'était écœurant !

J'imagine des piles et des piles de groupes dont j'ai entendu parler et que je n'ai jamais vus. Ça doit faire la même sensation que de frapper le jack pot dans un casino. On arrive à une intersection.

— Tu continues avec moi ? je demande.

— Non, j'en ai déjà plus que je suis capable de traîner.

Je le laisse s'éloigner. Il marche péniblement avec ses sacs. Le Christ traînant sa croix.

À quelques rues de là, j'arrive dans une triste cour bétonnée. Un petit frisé à lunettes est assis sur les marches d'un escalier, une bouteille de bière à la main. Peu de choses à vendre. Au milieu de cette maigre marchandise, une caisse de disques. Tiens, du stock de qualité. Un Jerry Lee Lewis… fini. Et un paquet d'autres bons trucs, le plus souvent maganés. Le gars s'y connaît. Je tombe sur un vieux Stevie Wonder. Sur la pochette, on le voit alors qu'il était très jeune. Je sors. Un vieux Temptations. Pas courant comme truc. Je tourne la tête vers le gars : « Combien les disques ? » Il se lève et vient vers moi :

— Ça dépend lesquels… Le Stevie Wonder je te le fais à trois, le Temptations, quatre… Qu'est-ce tu cherches ?

— Du black.

Il se met à fouiller dans sa boîte, sort un Smokey Robinson et un Martha and the Vandellas.

— C'est bon ? je demande.

— Très !

— Pourquoi tu les vends ?

— Moi les nèg', je tripe pas là-dessus. Pis de toute façon, y'a pas une affaire que les Blancs font pas mieux que les Noirs.

Sa peau me paraît soudain plus blanche.

— Tu déraillles… Y'a pas un truc en musique qui vient pas des Noirs !

— Le classique.

— C'est ben le seul truc.

— Y'a le prog aussi.

— Bon… Tu me fais combien pour les quatre ?

— Je peux te les faire à treize.

— Je paye rarement plus d'un dollar par disque.

— Ouin, mais ça, c'est du bon stock, dit-il en prenant le Stevie Wonder. C'est un Motown. Un original… Même chose pour ce disque-là, ajoute-t-il en prenant le Martha and the Vandellas… Un original sur Motown.

Je sors le Stevie Wonder de sa pochette. Il est loin d'être neuf.

— Y'é magané en plus.

— Donne-moi onze, dit-il en maugréant.

Je calcule mentalement que ça fait un peu moins de trois dollars par disque. Ça semble raisonnable. Je sors mon fric.

— T'en as beaucoup, des disques ? je demande.

— Ouin, pas mal.

— Ça veut dire ?

— Quelques milliers.

— As-tu du soul ou du funk ?

— Pas beaucoup.

Sa blonde arrive avec un bébé dans les bras et va s'occuper des gens.

— Laisse-moi ton numéro. Je vais regarder ce que j'ai pour toi chez moi pis m'as t'appeler. Il faut que j'aille aider ma blonde avec le bébé.

Il termine sa bouteille et se lève. Je m'éloigne. Drôle de gars.

Rendu chez moi, je mets les disques dans ma pile de nouveautés et en fais jouer un que je ne connais pas. Ensuite, je prépare un sandwich et sors sur le perron. J'aime manger en regardant les gens passer. Ça fait une excuse pour être là, à rien faire, dans l'espoir d'échanger quelques paroles avec un voisin ou un étranger. Sur la pierre, des traces de jus séché témoignent de mon penchant pour les sandwichs à la mayonnaise. Mon voisin Normand est sur sa terrasse. Je le salue de la main.

Quelques heures plus tard, je suis devant ma pile de nouveautés. J'ai écouté tous les disques alterno que je connaissais pas. Ça m'a laissé avec une impression de vide. Comme après avoir mangé chez McDo. On ne se sent pas rassasié. On se demande si on a vraiment mangé. Alors on bouffe et rebouffe. Même plein, la sensation de vide ressurgit, angoissant l'âme. J'ai besoin de quelque chose pour faire oublier cette musique tiède. Je prends *London Calling* des Clash, sors un des deux disques et mets l'aiguille sur la galette de vinyle noir. La pièce éponyme débute. Ça marche ! La médiocrité se dissout. Chaque note de guitare fait bouillir mon sang. La voix éveille quelque chose en moi. Ça ranime des souvenirs. Des souvenirs de voyage…

J'avais dix-sept ans. Mon père venait de me jeter à la rue suite à un party punk qui avait fait jaser le voisinage. Je dormais chez des amis, dans les parcs, les stationnements souterrains. Je passai même une nuit dans les vidanges. Ça me prenait du fric. Mon oncle Denis m'avait raconté qu'il était allé travailler au tabac, dans la péninsule de l'Ontario. C'était un sale travail, mais on était sûr de trouver du boulot lors de la récolte. J'en parlai à Pat qui s'emballa immédiatement pour le projet. Il était comme ça, toujours partant. C'est pour ça qu'il était mon meilleur copain.

On faisait du stop juste devant une affiche indiquant la distance pour se rendre à Toronto. Une ligne continue de camions remorques dans la voie de droite bloquait la vue aux automobilistes. Et ceux qui nous voyaient continuaient droit devant eux. On se relaya. Après avoir poireauté plus d'une heure, on commençait à être découragés. Et puis une petite voiture grise s'arrêta. Des Asiatiques, probablement Vietnamiens. Malgré notre allure, ils nous accueillirent et se montrèrent courtois et gentils, partageant même le peu de nourriture qu'ils avaient. C'était d'autant plus étonnant puisque la femme avait un bébé dans les bras et un jeune enfant à l'arrière qui nous observait de ses grands yeux noirs. Ils nous laissèrent à Toronto.

La première chose qui me frappa fut le nombre de gratte-ciel. Ça poussait partout. Toutes les races coexistaient pacifiquement. On dormit chez mon ami Hatem qui venait d'y déménager. L'appartement était un peu petit pour recevoir deux personnes. Sa mère était peintre. Il fallait faire attention de ne pas accrocher les immenses tableaux en cours de réalisation. Elle se montra gentille. Le lendemain matin, il y eut une dispute entre elle et Hatem à notre sujet. Il vint nous voir et nous dit, fort déçu, qu'on ne pourrait plus dormir là.

On passa la journée à traîner rue Yonge. On acheta de l'acide à un Noir. Deux heures plus tard, il ne se produisit rien. On retourna à l'endroit où on avait fait notre transaction, mais le Noir n'y était plus. Dommage, on avait beaucoup de choses à lui dire. Pour se consoler, on alla dans un bar new wave. La musique était pourrie. J'allai voir le DJ qui me regarda de haut, comme si j'étais une merde. Alors je me résignai à sa musique plate. Minuit quarante-cinq. Last call. On commanda chacun une bière. Quinze minutes plus tard, la musique arrêta net, au milieu d'une pièce ! Les lumières s'allumèrent d'un coup.

— Sont fous !

— Moi, je prends le temps de finir ma bière, dit Pat. Si ça fait pas leur affaire, qu'y viennent le dire.

On restait assis, essayant de relaxer malgré les circonstances. Cinq minutes plus tard on entendit un épouvantable vacarme. Les employés se promenaient dans le bar en frappant des chaudrons ensemble !

— Tu parles d'une bande de sauvages !

— On fout le camp !

On vida chacun notre bière. Pat jeta sa bouteille à terre. Elle se fracassa. J'en fis autant. Pat leur souhaita le bonsoir : « Hostie de gang de fucking blokes à marde. » Ils semblèrent apprécier notre courtoisie et s'éloignèrent sur notre passage, demeurant à bonne distance.

— Tu parles d'une bande de punks Mickey Mouse, lança Pat.

— Bof, les Anglais sont toujours un peu réservés.

Fallait trouver un endroit pour dormir. On déambula au gré du hasard et tomba sur une école primaire. Je vérifiai les fenêtres dans un secteur et Pat dans un autre. Elles étaient bien fermées, mais j'en trouvai une entrouverte. Je fis signe à Pat de venir me rejoindre. Rendu à l'intérieur, je refermai soigneusement la fenêtre et la verrouillai. Il y avait de vieux fauteuils, un frigo, une table, des chaises. Quelle chance ! La salle des profs. Pat ouvrit le frigo. Cheeze Whiz, confiture, pain tranché, une boîte de fèves au lard et une pinte de lait. Je trouvai assiettes et ustensiles dans les armoires.

— C'est comme à l'hôtel, lança Pat.

— J'me demande si y font le service aux chambres.

Alors qu'on était à table en train de manger nos sandwichs, je constatai les limites de notre gueuleton :

— Ouin… c'est de la bouffe d'Anglais.

— As-tu essayé du Cheeze Whiz avec de la confiture ?

— Beurk !

Je remarquai un dictaphone sur un fauteuil. Il devait y avoir d'autres trucs intéressants dans l'école.

— Ça te donne pas envie de jouer au ballon ?

— On n'a pas de ballon !

— T'as pas appris tes leçons ? Normalement, y'a un ballon par classe.

J'ouvris la porte de la salle et, au moment où j'allais mettre le pied dans le corridor, m'arrêtai. Une lumière rouge sur un appareil fixé au mur du corridor clignota. Je refermai la porte.

— Tabarnak ! Y'a un système d'alarme !

— Ben voyons !

— J'te le dis… j'ai vu une lumière clignoter.

— Meuh ! fit Pat, bourru. T'as dû rêver.

Pat n'était pas du style à se laisser arrêter par une petite lumière. Le truc avec lui, c'était d'amener la conversation sur un autre sujet. Comme un enfant, il se saisissait alors du nouvel objet et oubliait l'autre.

— Écoute, y'a vraiment un système d'alarme… D'ailleurs, on devrait foutre le camp avant de se faire boster.

— Ben voyons… t'hallucines. En tout cas, fais ce que tu veux, moi, je bouge pas d'icitte.

Exactement ce que je voulais. Plus tard, alors qu'on était évachés dans les sofas, des lumières à l'extérieur se projetèrent dans la pièce. J'allai à la fenêtre et vis une voiture de police.

— Pat… Pat !

— Hmm…

— La police arrive !

Ces mots eurent un effet inespéré. Il se redressa et vint me rejoindre contre le mur. Merde ! Les policiers allaient voir nos sacs. Je me penchai pour les ramasser… juste à temps ! Un instant après, un policier tenta d'ouvrir la fenêtre. Je me félicitai de l'avoir méticuleusement refermée. Un jet de lampe torche passa entre nous deux, nous frôlant de quelques centimètres, comme dans les films ! Un second jet pénétra par l'autre fenêtre. On se regarda en silence pendant que les lumières se promenaient sur les assiettes qui traînaient. Puis, les lumières disparurent. On n'osait pas regarder par la fenêtre. On finit par se rendormir, allongés au pied du mur.

Le lendemain matin, je me réveillai le premier. Pat était accroupi sur son sac. Je m'étirai le cou et regardai prudemment par la fenêtre. La cour était déserte. Je secouai Pat : « Pat, la voie est libre ! »

Je mis le dictaphone dans ma poche. Pat emporta le pain et la confiture. On traversa la cour d'école. Le temps était radieux.

— Y'a pas de police, dit Pat.

— On a dû faire un mauvais rêve !

Maintenant qu'on avait un appareil pour écouter des cassettes, il manquait la musique. Impossible de passer à côté de Sam the Record Man avec ses néons multicolores qui clignotaient. Ils avaient fait tant d'efforts pour se faire remarquer qu'il fallut bien y aller. Jamais vu un aussi grand magasin de disques… Éberlué, je déambulais dans les allées. Au moment où je croyais avoir fait le tour, je découvrais une section qui m'avait échappé. J'allai dans la section des cassettes et essayai de trouver un groupe que je connaissais. Par hasard, je tombai sur Public Image. Je me tournai vers Pat : « Public Image ? » Il fit oui de la tête. Alors qu'il surveillait, je mis la cassette dans ma grande poche et continuai mon magasinage. Plus loin, je tombai sur *London Calling* des Clash. Je consultai encore Pat, pour la forme.

— Les Clash ?

— Oui, oui, fit-il avec empressement.

Je répétai mon manège, puis continuai à fouiller dans les cassettes.

— Bowie ?

— Bah oui !

Je pris aussi des cassettes de Kraftwerk, The Police, Peter Tosh et Bob Marley. On sortit du magasin sans embûches. Il ne manquait que les piles. Un arrêt dans un magasin d'escompte résolut ce dilemme. C'était fabuleux. Il y avait tant de richesses. On n'avait qu'à se servir !

Hatem nous avait donné rendez-vous dans une station de métro. On était assis à terre, écoutant notre cassette des Clash. Les gens nous regardaient. Le bruit des passants se mêlait aux riffs de guitare. La cassette joua en entier. Hatem arriva avec deux heures de retard. «Je me suis fait boster», dit-il d'un ton détaché… «Je fumais un joint sur Yonge, pis un cochon m'a arrêté.» On se mit en route. Il nous emmena au Dominos. Dès qu'on entra, je sus que c'était un bon endroit… les Stranglers jouaient! On s'assit à une table. Un serveur pâlot vint nous voir: «I can't serve this guy», dit-il en me désignant. Pat et Hatem pouvaient passer pour dix-neuf ans, l'âge pour boire en Ontario. Mais pas moi. Hatem tenta de négocier. Rien à faire… fallait que je quitte. Dommage, l'endroit semblait prometteur. Cette nuit-là, on dormit dans un parc. Moi dans un arbre et Pat au pied.

Avant de quitter Toronto, je voulais absolument aller dans la tour du CN. De l'ascenseur panoramique, la ville prenait une autre dimension. Le plus haut édifice, la Bank of Montreal. Rendu à l'observatoire, j'essayai de revoir nos trajets à travers les rues. Ensuite, on se rendit au bar, mais le coût prohibitif de l'alcool nous fit rapidement oublier notre soif. J'allai voir le DJ. Il avait l'air désabusé. «You have Public Image?» demandais-je. Il ne sembla pas comprendre. Je lui montrai ma cassette.

Il me la prit des mains et la fit jouer sur le champ, sans même me demander ce que c'était. J'étais certain qu'il l'enlèverait dès les premières notes. Mais non… il la laissa jouer. La pièce *The Albatross* ajouta une morosité nécessaire à l'environnement jetset torontois. L'atmosphère lourde allait à merveille avec les gratte-ciel à perte de vue… Le soleil baissait. La faune ayant les moyens de se payer des cocktails à 10 $ commençait à se pointer. C'était pour nous le temps de redescendre sur Terre.

Les Robots

Je suis sur le bol de toilette. Ma tête veut éclater. Je pousse timidement. J'ai la vague impression que c'est par l'autre extrémité que ça devrait sortir. Le silence est ponctué d'un floc dans la cuvette. Je ne suis pas encore libéré. Je m'agenouille. Ça sort. Encore un petit coup. Ouille ! Je reste près du bol, perdu dans un mélange de sensations floues. À cet instant précis, j'ai la certitude d'avoir raté ma vie. Le téléphone maintenant. Qu'est-ce que j'ai fait au bon dieu ? Je me lève péniblement. Chaque sonnerie réveille ma vieille fracture à la tête. Je décroche. C'est Danny à New York. Il choisit mal son moment pour appeler. Je m'apprête à le lui dire quand il enchaîne :

— J'ai deux billets pour Kraftwerk, pis y'en a un pour toi.

— Va donc chier !

— Je te le dis... Kraftwerk vient à New York au mois de juin. Peux-tu t'arranger pour descendre ?

Ça fait quinze ans que je rêve de voir ce groupe et il me demande si je peux y aller !

— Bien sûr.

— Ok, je te garde le billet. Le concert est le 13 juin, un samedi.

— Génial !

— Mon frère a loué un loft à Brooklyn. Y'a en masse de place, si tu veux passer quelques jours. Rappelle-moi pour me dire quand t'arrives.

— Ok !

Je raccroche. Il fait horriblement chaud. J'ai la tête en bouillie et on vient de m'annoncer une des meilleures nouvelles de ma vie : je vais voir mon groupe favori !

Pour me mettre dans l'ambiance, j'écoute ma cassette bootleg de Kraftwerk. Cette musique sympathique et légère me trouble. Je ne peux le croire... je vais les voir en concert ! Faut que Danny entende ça. J'en fais une copie, emballe la cassette dans un étui en carton et vais à la poste.

L'employée fait passer le colis dans un gabarit.

— Ça passera pas.

— Ça fait des années que j'expédie des cassettes. Je vois pas pourquoi ça changerait du jour au lendemain.

Elle refait passer la cassette dans le gabarit.

— Ça se peut qu'elle soit refusée.

— Écoutez, la cassette passe, oui ou non ?

— C'est juste.

— C'est tout ce que je veux savoir.

Elle pianote sur sa tirelire électronique, sort un gros timbre et d'autres, plus petits. Je colle. Dans moins d'une semaine, Danny va l'avoir. Et dans un mois, je vais être à New York.

Le soir du départ, j'arrive à la gare un peu à l'avance pour acheter mon billet. Le chauffeur en prend la moitié. Je monte dans l'autobus et me rends à l'arrière. Le lourd engin se met en route. Nous filons à travers les silhouettes sombres de la ville éteinte. Alors que nous passons sur un pont, je regarde au loin. L'horizon est illuminé par les milliers de lueurs qui s'échappent des tours à bureaux.

Une heure plus tard, les douanes. Je me réveille un peu. Après quinze minutes d'attente, on nous fait descendre. En ligne dans les douanes, je suis nerveux. J'ignore pourquoi. Un homme imposant, en uniforme, prend mon passeport et l'ouvre.

— Where are you going?
— New York.
— For what purpose?
— Pleasure.
— How long are you going for?
— One week.

Je connais mes réponses par cœur.

— Where are you going to stay in New York?
— At a friend's place.
— Do you have his address?

Je sors mon calepin téléphonique, l'ouvre et lui tends en indiquant quelques lignes inscrites à la main.

— I don't have the zip code, je lance.

Le douanier pivote la tête vers moi et me regarde d'un air étrange.

— Pardon me?
— I said that I don't have the zip code of my friend's place.

Son cerveau semble chercher un sens à ce que je viens de dire. Manifestement, il n'a pas été programmé pour l'humour. Son visage demeure crispé. Difficile d'imaginer que cet homme fut un enfant. Son cerveau a été lessivé par de la pub vantant les mérites d'un savon qui lave encore plus en profondeur que ne le promet la réclame.

— Here's your passport, Sir. Have a nice trip.

De retour dans le bus, je me cale dans mon siège et essaie tant bien que mal de dormir. J'entre alors dans une transe alourdie par la noirceur pénétrante.

Deux heures plus tard, un arrêt dans un Howard Johnson. Mes dollars canadiens ne peuvent rien acheter. Je me contente d'aller aux toilettes. Accueilli par une violente odeur de désinfectant, je retiens mon souffle. En repassant, je jette un coup d'œil aux gigantesques serveuses occupées à réchauffer le café des clients. Quelque chose d'artificiel dans l'air et de résigné dans l'attitude des gens nous dit qu'on est aux États-Unis.

Encore quelques heures de trajet. Et puis ces magnifiques tours jumelles qu'on voit de si loin. Le bus plonge dans le Lincoln Tunnel. Aux murs, des milliers de tuiles blanches et des caméras aux vingt mètres. J'imagine l'eau envahir le tunnel… Joli spectacle pour ceux qui regardent les caméras. Cinq minutes plus tard, on émerge dans un bruyant chaos coloré qui défile à mille images seconde. Manhattan.

Grand Central Station. Je descends du bus avec mon maigre sac. Le temps est magnifique. Même s'il avait neigé, j'aurais été euphorique. Times Square. Un peu plus de gadgets électroniques que la dernière fois. Je descends dans le métro. La céramique blanche des murs contraste avec le sol noir. Un métro en stainless arrive, étincelant. C'est toujours un choc de voir un métro sans graffiti. J'embarque dans un autre chapitre de ma vie. J'observe les gens. Toutes races fondues ensemble. Un échantillon de la population terrestre. Un homme lit son journal. L'éclairage s'éteint pour quelques secondes, puis revient. L'homme n'a pas levé les yeux.

Je descends station York à Brooklyn, passe sous le pont bleuté de Manhattan et arrive dans un coin à inspirer un film de gangsters… Un quartier d'édifices industriels à côté du pilier du pont. Un coin crade, idéal pour se faire égorger. J'arrive devant dix étages de briques rouges délabrées. Un camion à vidanges sort du bâtiment. Je gravis un escalier métallique et observe les graffitis. Chaque étage est protégé par une porte d'acier. Au cinquième, je pousse la porte et débouche dans un corridor puant et décrépit. Des déchets traînent. Les poutres du plafond sont noires. En observant mieux, je m'aperçois qu'elles sont couvertes de suie. J'arrête devant une porte et cogne. Après une minute d'attente, Danny m'ouvre. Il a maigri, ce qui rend dramatique son regard triste.

— Salut! Fais pas de bruit. Mon frère dort encore.

Il retourne se coucher. L'endroit est immense. Plancher en bois bleu pâle, fenêtres de manufacture à carreaux. Peu de meubles. J'entends soudain un effroyable bruit métallique. Je vais à la fenêtre. Le métro passe sur le pont, charriant un kilomètre de vies anonymes. Le pilier du pont est gigantesque… Ça écrase la vue. L'énorme monument de pierres est teinté par la rouille qui gicle du pont. À partir d'une saillie, un arbre pousse. Tristes feuilles vertes perdues dans un paysage de plomb.

Quand Danny s'éveille, on sort. Alors qu'on s'éloigne de l'édifice, deux camions à vidanges se croisent devant nous. « C'est une entreprise de recyclage de papier, m'explique Danny. En fait, une couverture pour la mafia. C'est à elle qu'appartient le bloc et les autres, autour. » En passant sous le pont, on tombe sur une équipe de tournage. Des mannequins posent devant l'horizon ciselé de gratte-ciel. «C'est comme ça tous les jours... Ils tournent des clips, des pubs, des films.» Un peu plus loin, Danny pointe plusieurs édifices.

— Tu vois ces édifices beiges... le watch tower... C'est tout aux témoins de Jéhovah. Ils ont acheté tout le sea shore de Brooklyn.

— Ça doit valoir une fortune.

— Ils ont de l'argent.

Tout en marchant, j'observe la ligne d'horizon la plus célèbre du monde. Quelle vue!

— Tu vas voir, me dit Danny, New York a beaucoup changé. C'est plus propre. Même Times Square... C'est rendu un gros Disney World. Y'a plus un Noir qui essaie de nous vendre de la dope.

Après un court trajet de métro, on entre dans un gigantesque bookstore.

— Je viens souvent ici, dit Danny. C'est confortable, y'a des tables... On peut prendre un café en lisant. Je lis des livres entiers ici.

— Les gens disent rien?

— Non!

On arrive dans la section «musique». Incroyable! Plusieurs étagères débordent de livres de musique. Je parcours la section «pop» et déniche un livre sur le techno. Danny disparaît dans un coin et réapparaît, un livre à la main.

— Qu'est-ce tu lis ?

— *Psychotic Reactions and Carburator Dung* de Lester Bangs… Tu le connais ?

— Non.

— C'est un ancien critique musical au Cream. Tu l'aimerais… Quand il a entendu *Second Edition* de PIL, il a dit que c'était une bonne raison pour ne pas se suicider.

— Méchant sens de l'humour.

— Y'é mort en 82. Il prenait trop de dope.

— Au moins, y'a pas eu à se taper toute la merde des années 80-90.

Je plonge dans mon bouquin et lis le chapitre consacré à Kraftwerk sans rien apprendre de nouveau. De temps à autre, un de nous sort de sa bulle pour partager une découverte. Une bonne heure plus tard, on sort du magasin, passant d'un environnement contrôlé et favorisant l'intériorité au bruyant chaos coloré.

On déambule dans une petite rue de SoHo. J'observe chaque façade, boutique, personne. Tout m'attire. En passant devant un local, je remarque un écriteau doté d'un logo bien connu. « Hé, regarde ça Danny… la franchise des Hell's à SoHo ! » Des jeunes filles de banlieue se font photographier à côté d'anonymes célébrités tatouées et de leur Harley-Davidson. « Ostie qu'elle est bonne... les Hell's, attraction touristique ! » On rigole un coup. Je remarque l'écriteau de stationnement. Il est identique à n'importe quel autre. Mais le texte diffère : *Authorized Hell's Angels Vehicules Only*. « As-tu vu le panneau de stationnement ? » je demande à Danny. Il lève la tête, observe le panneau et part à rire. Décidément, même les Hell's ont de l'esprit, ici. New York. New York.

Le soir, on s'arrête à un rare endroit ouvert autour de Wall Street. On est à une table sur le trottoir, attendant un serveur. Pas un chat en vue. Mais un gros rat saute dans une poubelle. Après l'avoir inspectée, il continue son chemin.

— T'as vu ça ?

— Y'en a partout ici, explique Danny. Pour chaque habitant, y'a dix rats.

J'essaie d'évaluer le nombre que ça représente. Ma gymnastique mentale est interrompue par Danny : « Au fond, le véritable habitant de New York, c'est pas l'homme... c'est le rat. » Alors que je me laisse séduire par cette affirmation et réfléchis à sa portée philosophique, il poursuit :

— De toute façon, ils sont assez semblables.

— Insulte pas le rat!

L'air malheureux de Danny disparaît soudainement. Il pouffe de rire et passe près de s'étouffer. Après quelques bières ponctuées de sérieuses rigolades, on quitte. Danny hèle une voiture jaune. On embarque. Le chauffeur démarre.

— Where y'a go?

— Vinegar Hill, répond Danny

— I don't go there, répond le chauffeur. Too dangerous… Cab driver got killed there.

— You watch too many movies, lui dit Danny.

— No, I don't want to go there.

— Come on. We're nice people, je dis au chauffeur. Je prends le visage de Danny dans mes mains. Do you think this baby would harm anybody?

Danny embarque dans le jeu:

— Yes, I'm a good kid… I want my toys!

— Vinegar Hill… dangerous, dit le chauffeur.

— It's a fabulous place to raise kids, je dis au chauffeur qui se met à rire.

On roule sur le pont de Manhattan. Le chauffeur ralentit et s'arrête au milieu. Pas croyable… Un embouteillage à deux heures du matin ! Après quelques minutes d'attente, le chauffeur nous laisse devant l'édifice qui, avouons-le, a un air à faire peur. Dans l'escalier, un party est annoncé dans un immeuble voisin.

— Ça te tente ?

— Bof !

On rentre. Danny débouche une minibouteille de Henkell. Le métro illuminé passe sur le pont. Son bruit perçant ne me dérange plus.

Le lendemain matin, je crois rêver… Je suis éveillé par des cris d'oiseaux provenant du mur. Je sors et vais sous le pont. La journée maussade atténue la beauté de la vue. Le ciel gris se fond dans les édifices aux mêmes tons. Des poissons flottent sur l'eau, ventre au ciel. Pris par l'inconnu, je longe des entrepôts et arrive en vue d'un énorme project en croix. Quinze étages de misère. De jeunes Portoricains jouent dans la cour bétonnée avec d'autres immigrés. Je remonte la rue en jetant de brefs coups d'œil derrière moi. En haut d'une petite côte, j'arrive dans Brooklyn Heights, un charmant quartier très Nouvelle-Angleterre. Quel contraste ! Verdure, maisons anglaises, boutiques, cafés, boulangeries… tout ce qu'il faut pour oublier le project. J'arrête dans un dépanneur, achète quelques trucs à manger et retourne au loft. Danny est debout.

— J'ai été réveillé par des cris d'oiseau.

— Le voisin élève des oiseaux tropicaux.

On déjeune, puis on va sur le toit. Les fils électriques cisèlent le ciel maintenant bleu clair. Danny est appuyé contre un parapet de brique brunie par la pollution. Il est en amour avec une jeune junkie qui fait de la vidéo. « Elle est géniale », il me dit. Je ne réagis pas. « Je te jure… cette fille est un génie. » Je dis rien. J'observe le temps et la vie qui se répète. Où êtes-vous, les Silver Apples ?

Une demi-heure plus tard, nous sommes dans le métro au-dessus d'un cimetière. Par le hublot, j'admire les kilomètres de toits, cordes à linge, affiches de bière, voitures, analgésiques… jusqu'à Rockaway Beach.

L'air salin, l'eau bleutée et le sable brûlant font oublier qu'on est à New York. Jusqu'à ce que passe un Concorde dans le ciel. Je prends une photo de Danny avec ses lunettes de soleil. Il en prend une de moi plissant les yeux.

Et puis, une autre heure à poireauter dans le métro. En sortant, un arrêt dans le pilier du pont de Brooklyn où a lieu une exposition et, plus tard, un rave! Ça n'arrête jamais. Jusqu'au soir du concert.

On arrive une heure à l'avance. Des centaines de personnes font la queue. On longe la file. La faune est hétéroclite. Des gens dans la quarantaine qui ont connu le groupe à leurs débuts. Des jeunes ravers, qui ont entendu parler du groupe légendaire. Des gothiques maquillés en tenue noire et des gens comme nous qui ont connu le groupe à l'époque new wave au début des années 1980. On se met dans la file. Les gens continuent d'affluer. «On a bien fait d'arriver tôt! Regarde . . .», je dis en me retournant. La file se rend jusqu'au coin de la rue et repart dans l'autre direction. Les gens devant nous sont dans la quarantaine. Je capte des bribes de conversation: «Show cancelled.» Inquiet, je tends l'oreille: «Washington… electric storm»… Je reconstitue le puzzle.

— As-tu entendu ça, Danny? Le concert de Washington a été annulé en raison d'un orage électrique… Ça va être le seul concert sur la côte est.

— Génial !

Enfin, la procession se met à avancer, lentement. Une demi-heure plus tard, on passe devant un stand à t-shirts.

— Lequel tu prendrais, je demande à Danny.

— Celui jaune fluo. C'est un gilet de cycliste.

Je m'imagine revêtu de ce trophée. On entre dans une magnifique salle de style victorien avec boiseries, balcons, fioritures.

— Belle salle, constate Danny.

— Ça me surprend pas. Ils ne jouent pas n'importe où.

Je choisis un endroit à égale distance des haut-parleurs, un peu en avant de la console. Normalement, c'est là que ça sonne le mieux. Sur la scène, tout est disposé de façon précise. Quatre postes de travail forment un arc. Au-dessus de chacun, un écran de belle dimension. Les câbles et la machinerie sont cachés par un élégant parapet métallique. On ne voit que des ordinateurs et des témoins lumineux. Danny va se chercher une bière et revient au moment où les musiciens arrivent sur scène, tous vêtus du même costume noir. Chemise, cravate, pantalon et souliers. Ils marchent l'un derrière l'autre jusqu'à leur poste de travail. La foule les salue d'un enthousiasme mitigé. Ils prennent le temps de se préparer. L'un d'eux jette un regard à un autre qui répond d'un signe de tête. La musique débute. Le son m'entoure, m'assomme, me pulvérise. Les basses fréquences longent ma colonne. J'ai beau connaître par cœur la pièce qui joue, je suis sidéré. Une puissante machine vient de se mettre en marche. Je regarde le profil émerveillé de Danny et me mets sur la pointe des pieds. Sur les écrans, des projections vidéo dont la facture graphique est inspirée du constructivisme montrent les paroles-clé, synchrones avec la musique. Plusieurs personnes sont attroupées au bord du premier balcon. Même après plusieurs chansons, l'ambiance demeure froide. Je profite d'une pause entre deux morceaux:

— C'est froid comme ambiance. Les gens réagissent pas.

— C'est New York. Les gens sont blasés.

— Moi, je crois que c'est parce qu'il y a pas assez de Noirs dans l'assistance.

— Il aurait fallu voir le concert de Détroit.

La musique reprend. Je suis transporté. Le son est impeccable. Je me tourne vers la console. Deux micros disposés à angle de 45 degrés sont suspendus en l'air au-dessus de la foule. Le concert est enregistré. Le répertoire m'est familier. Mais les versions diffèrent. Jamais je n'ai entendu une musique aussi techniquement sophistiquée, avec tant de maîtrise et de raffinement dans son exécution. J'essaie de distinguer l'apport de chaque musicien. Pas facile… Ils sont tous devant des postes de travail à peu près identiques et bougent peu. Tels de dignes robots, ils brillent par leur retenue. La musique cesse. Une voix grave travestie par un vocoder d'une amplitude inouïe parle des dangers du nucléaire. La voix synthétique fait trembler l'édifice et me donne la chair de poule. On plonge dans une manufacture abandonnée. Des fluides contaminés s'échappent. La pièce *Radioactivity* débute. Les écrans affichent des logos. Le message est clair : *Stop Radioactivity*. Nous voyageons dans une modernité brute explorant l'utopie de ce que sera la société du futur. Les ondes sonores sculptent l'acoustique de ce microcosme planétaire. *Trans Europe Express*. Une symphonie de sons nous pète en pleine gueule. Sur les écrans, des extraits de vieux films avec des trains. On est dans la chaudière d'un train. C'est primitif, industriel. Une tribu frappe des percussions de métal amplifiées, égalisées, corrigées. Bing! Bang! Bong! *Homecomputer*, ma favorite. Le bridge, sorte de free-jazz électrique archi-planifié. Les fréquences musicales sont des multiples de ma propre vibration atomique. Mes cellules se mettent à vibrer. Le rythme syncopé fait osciller mes atomes qui s'échappent de leur orbite, glissent et virevoltent. Chaque molécule secouée entraîne la suivante. Cette perfection musicale absolue m'emporte. Éternité, passé, ici, demain. Aucune différence. Je ne sens plus le plancher. Tel un hydroglisseur, je flotte dans un univers métaphysique… en transe. Au milieu des éclairs et de cette pluie électronique, je deviens machine et fais un saut dans le temps, quinze ans plus tôt…

J'étais sur une piste de danse, défoncé au PCP, noyé dans la lumière colorée. Il n'y avait rien entre la musique et moi. Les sons produits par les oscillateurs pénétraient mes tympans et ma peau. Les molécules de synthèse dans mon sang fusionnèrent avec les sons électroniques. J'allais devenir un robot, une machine, un parfait aliéné.

Le lendemain, je marchais à la manière d'un robot dans un corridor de béton, tournant les coins brusquement, à 90 degrés, comme le ferait une machine. J'arrivai au point de rencontre des étudiants et allai m'asseoir à côté de Sophie. Elle avait les cheveux noirs crêpés. Sa peau était d'un blanc immaculé et le maquillage autour de ses yeux noirs allait précisément jusqu'en leurs coins, lui donnant l'allure insolite d'une créature punk. Elle portait des vêtements noirs déchirés de façon calculée et avait un crucifix accroché à l'oreille. C'était la fille du directeur.

— J'ai envie de toi, dis-je d'un ton monocorde, sans la regarder.

— Moi aussi.

Un peu plus tard, on était dans sa chambre. Tout était à motif de carreaux noirs et blancs. Sur le plancher, des carreaux de tapis gris et noirs. Une housse à carreaux noirs et blancs recouvrait son divan-lit. Elle avait même peint ce motif sur une statue de Bouddha! On s'étendit sur le tapis et sortit nos livres. Après une demi-heure d'étude, je m'approchai d'elle. Elle débraguetta mon pantalon et se mit à m'astiquer. Je mis mes écouteurs et fis démarrer mon walkman. C'était la pièce *Knife Slits Water* de A Certain Ratio, de l'électrofunk britannique. À cause de l'héro, j'avais de la difficulté à conserver une érection. La musique m'aidait à garder le rythme. Sophie continua d'étudier. Le téléphone sonna. Elle répondit alors que je continuais mon va-et-vient en suivant la cadence. Elle parla un moment, puis il y eut un long silence. Elle finit par dire à son interlocuteur qu'elle était fatiguée et raccrocha. Je jouis silencieusement, puis tombai sur le côté, comme un lapin fatigué.

Après avoir promis à Sophie de l'appeler plus tard, je fis un saut chez André. Il demeurait à deux rues de là. Sa mère m'ouvrit. « André est au sous-sol », dit-elle de sa voix chétive. J'entrai, traversai la petite cuisine dénudée et descendis les escaliers. Une montagne de cochonneries bloquait le passage. André s'amusait avec un synthétiseur. Alors qu'il jouait avec un potentiomètre, il tomba sur un son incroyable. La terre s'ouvrit sous nos pieds. On fut aspiré dans le néant. Il continua de jouer avec le piton et perdit le son. « Hé, c'était génial ce son-là », dis-je. Il se retourna, l'air surpris : « Tu trouves ? » Il retrouva le son et partit le magnéto. Un venimeux déferlement venant des profondeurs circula autour de nous. Ce tourbillon de rugueuses textures sonores nous aspira corps et âmes. On plongea dans une contrée sombre, peuplée de phobies électriques d'où on n'émergerait jamais tout à fait.

Un peu plus tard, je me promenais en basse-ville. Des cheminées crachaient un poison opaque dans ce quartier réputé dangereux. Le mobilier urbain avait été charcuté par une autoroute surplombant les quartiers pauvres. Les fonctionnaires pouvaient retourner dans leur banlieue sans avoir à subir la plèbe. Je passai sous des échangeurs de béton et marchai dans ce paysage urbain délabré. J'entrai dans le mail, absorbant une forte odeur de pisse au passage. Personne ne me remarqua. Au milieu des sans-abri et des désinstitutionnalisés, les punks passaient inaperçus. En sortant, un graffiti sur le béton blanc : Nouvel Ordre. Je tentai d'en comprendre la clef... Après le suicide du chanteur, le groupe Joy Division changea de nom pour New Order ou « nouvel ordre ». Chaque fois que je passais devant ce graffiti, ces mots prophétiques m'interpellaient. Était-ce une directive à suivre pour ceux qui voulaient survivre ?

J'arrivai chez Dave. L'appartement turquoise était presque vide. Aux murs, des affiches inspirées du constructivisme russe. Un système de son au milieu de la place, un vieux coffre rempli de disques et un long miroir ovale pour table de salon. Dave mit un disque. Des sons électroniques à consonance industrielle animèrent le morne salon. Le futur perça le ciel gris, passa à travers le toit et me donna un aperçu de la musique de l'avenir. C'était comme voir de nouvelles couleurs pour la première fois. Ces sons nouveaux activèrent une région inconnue de mon cerveau. C'était extraordinaire ! Le temps et la musique se superposaient parfaitement. À cet endroit et à ce moment, je ressentis la technologie. Soudain, la musique s'arrêta net.

— C'est trop bon pour être écouté, dit Dave en remettant le disque dans sa pochette.

— C'est quoi qui jouait ?

Sans répondre, il rangea son disque dans le coffre.

— Ostie que t'es craquant…

Dave était maniaque de musique. Il se privait de nourriture pour acheter des disques. Les écouter était un acte sacré.

Il déposa un sac devant moi.

— Veux-tu des mush ?

— Ça fait longtemps que je prends plus de ça.

— Allez, je te les offre…

Je pris quelques morceaux sans réfléchir, comme si c'était des peanuts et fis disparaître le goût dégueu avec quelques gorgées de bière.

Plus tard, André vint me chercher avec la petite voiture de ses vieux parents. De la cuirette froide se dégageait l'odeur de caoutchouc brûlé typique des amateurs de drogue par injection. On roula jusqu'à une maison de banlieue. Dans une petite chambre mal éclairée, André prépara des seringues. Alors qu'il besognait, je regardais ailleurs. Je venais d'arrêter. Le téléphone sonna. Le mec chez qui on était me tendit l'appareil: «C'est pour toi.» C'était la première fois que je mettais les pieds à cet endroit et je recevais un appel! Je pris le combiné. C'était Dave.

— Ton père m'a appelé. Il te cherche.

— Comment ça?

— Il me l'a pas dit mais ça avait l'air important.

J'appelai chez moi. Mon père répondit: «Qu'est-ce que tu lui as fait prendre à la petite Sophie?» Son ton ne laissait nulle place au doute.

— Rien.

— Elle est à l'hôpital à cause de toi!

Parler avec mon père était inutile. Je raccrochai et appelai chez Sophie. Sa mère me parla avec toute la politesse dont peut faire preuve une mère quand sa fille fait une surdose. Sophie était dans un hôpital pas très loin d'où j'étais.

Je quittai mes copains et me mis à marcher dans la douce nuit d'hiver. De petits flocons tombaient. Alors que je traversais le grand stationnement désert de l'hôpital, je sentis des gargouillements à l'estomac… Merde ! Les champignons magiques commençaient à faire effet. Je passai les portes automatiques de l'urgence et vis le père de Sophie discutant avec une infirmière. Sous ses cheveux gris, il avait l'air inquiet. Il vint vers moi : « As-tu fait prendre quelque chose à Sophie ? » Avec les maudits champignons, je n'avais qu'une envie : rire. Mais ce n'était pas le moment. « Non », répondis-je en faisant un effort surhumain pour garder mon sérieux. Il m'observa un moment. Ses épais sourcils gris piquèrent vers son nez, le transformant du même coup en directeur d'école. « T'es sûr que tu lui as rien fait prendre ? » Ce fut le moment le plus difficile de ma vie. Je le regardai droit dans les yeux en me forçant d'avoir l'air solennel et répondis: « Oui ». Je redoutais le moment où j'allais éclater de rire et tout gâcher. Et puis Sophie se mit à délirer. J'en profitai pour aller la voir. Étendue dans un petit lit étroit, elle était plus blême que d'habitude. Rien d'alarmant... Tout le monde a l'air malade dans un lit d'hôpital. Elle semblait avoir pris des calmants. Ses petits yeux noirs s'ouvrirent et elle s'agrippa à moi :

— Reste avec moi, dit-elle.

— Ça va, je suis là, dis-je doucement en lui caressant le front.

— Va-t-en pas !

— Non, non, je vais nulle part.

Elle finit par se calmer et ferma les yeux. Derrière le mur, son père guettait. Je retournai le voir et essayai de le sécuriser. Sophie me réclama. Son père traversa et lui dit que j'étais parti. Je pensais qu'elle ferait une crise. Eh non. J'attendis dans le corridor et retournai la voir sous surveillance paternelle. Elle dormait, pâle comme une statue de marbre.

Le lendemain, elle me raconta tout. Elle s'ennuyait et avait pris des pilules au hasard pour protester parce que je ne l'avais pas appelée !

Scratch !

Par une fraîche nuit d'automne, je marche dans un faubourg de maisons ouvrières. Les lampadaires éclairent mon chemin. La morsure du froid sur mes mains et mon visage m'éveille. J'aime l'automne. Tout le monde maugrée. Je me sens plus normal.

J'entre dans une taverne. Plafond bas, clientèle sombre et raréfiée. Ça sent le fond de cendrier mêlé à la robine. Des gothiques sont perdus dans un coin. Je descends quelques marches. Serge est prisonnier d'une minuscule cabine, occupé à trouver le prochain disque. Il me sourit. Je remonte, m'assois à une table et commande une bière. Sur un écran au fond de la salle, un vidéoclip silencieux de Blondie. Cette soirée new wave s'annonce mortelle. Ça fonctionne jamais, ces trucs-là… revivre le passé… comme si c'était possible ! Soudain, les premières notes de guitare de *Dancing With Myself*. Je me précipite sur la piste de danse et me mets à sauter sur place. Mais que se passe-t-il ? Je demeure rivé au plancher. Je persiste à m'élancer et retombe lourdement chaque fois. Je sens mes frêles os dans mes jambes. Dans ma cage thoracique, mon cœur se démène. Je me revois 20 ans plus tôt, dépassant la mêlée d'une bonne tête à chaque saut. Boom, boom, boom ! proteste mon cœur. Le chiffre 40 résonne en dedans. Les autres dansent aisément. La gravité n'a pas d'emprise sur eux. La chorégraphie se poursuit dans ma tête. Mon corps entier rouspète, comme une vieille bagnole dont les pièces vibrent, claquent et grincent. La chanson se termine. Je retourne m'asseoir.

Tout en sirotant ma bière, je jette un coup d'œil aux gothiques. Ils n'ont pas l'air marrant. Nous, on roulait sous les tables et on dérangeait tout le monde. Au milieu de la grisaille alternative, un vidéo de Devo. Les musiciens portent de grotesques habits jaunes en matière synthétique cintrés à la taille et de massives lunettes de soudeur. Le vidéo a tant joué que l'image a perdu sa netteté. Je me perds dans la confusion du lignage coloré. Ces prophètes de l'absurde me redonnent espoir. Leur naïveté dissout mon amertume. J'oublie ma récente humiliation. Je me sens calme, prêt à accepter que j'aurai bientôt 40 ans et que la moitié du chemin est parcourue. Soudain, des notes de basse me foudroient. « Alarm, alarm », crie John Lydon. Cet appel me prend aux tripes. Je passe à un cheveu de me lever et de retourner sur la piste. Mais à quoi bon ? Le combat est perdu d'avance. Pour la première fois, je reste assis alors que la guitare se déchaîne. Ma jeunesse s'est tirée. Je lui ai fait peur. Je n'arrive plus à m'envoler. Je suis devenu terre à terre. Je n'ai de force que pour me laisser bercer par le funk. Ici et maintenant, je suis épuisé. À jamais vidé de ce voltage exagéré, ma jeunesse pétaradante. C'est ma dernière soirée new wave. Je suis trop vieux. Qu'on me donne le funk, le dub, pour que je m'y berce doucement, m'y glisse jusqu'à la tombe.

Je me souviens de ma première fois au Shoeclack déchaîné. Sur la piste de danse, ça gesticulait comme des possédés. Impossible d'y mettre le pied sans être pulvérisé. Assis dans un vieux fauteuil amputé des pattes, j'observais la faune… tenues sombres, cheveux courts, maquillage exagéré. Une fille particulièrement barbouillée avait les cheveux crêpés un pied en l'air. On aurait dit un corbeau. Un gars aux cheveux bleachés portait une robe en carreaux de miroir. Au milieu de la mêlée, une fille géante faisait paraître les autres pour des nains. Un type louche bousculait tout le monde. J'étais ébahi. Tout était si différent… Pas de cheveux longs, vêtements amples ou odeur de patchouli. Je me levai et allai au bord de la piste. Quel cirque ! Un tourbillon de bras-jambes-troncs s'agitait avec fureur. Je fis un pas sur la piste. Tout allait bien. Je continuai. Après maintes prouesses pour éviter les morceaux humains, je parvins dans l'œil du cyclone. D'un côté, le corbeau. De l'autre, de drôles d'oiseaux. Des jets de lumière tombaient du ciel. Sur les visages, ni humanité ni espoir. La mort rôdait. Une pièce de Nina Hagen débuta. Cette déchirure sonore embrasa tout. Les gens se mirent à sauter violemment. Je fus pulvérisé par les milliers de watts de son et lumière. Le venin sonore m'envahit et s'immisça profondément, affectant jusqu'à la vibration de mes cellules. Du pus surgit des pores de ma peau. Au contact de l'air, cela forma une fine croûte sèche qui m'isola du monde. À moitié assommé, je traversai le reste de la piste. C'était assez pour une première fois.

Une nuit où j'étais défoncé au PCP, je retournai au milieu de la piste, fermai les yeux et restai immobile sur les carreaux noirs et blancs. Je sentis la musique passer à travers mon corps. Quelque chose monta en moi. Je me laissai porter… bras, jambes, bassin, tout se mit à bouger, mû par une force interne. En orbite en moi-même, je me vautrai dans cette caresse sonore. Dès lors, je passai des nuits entières sur la piste. J'improvisais. J'aimais faire n'importe quoi, me désosser complètement, bouger les jambes à la Elvis, mais en plus déglingué. Je me contorsionnais comme un paraplégique ou faisais simplement onduler mon bassin. Avec le temps, je devins un bon danseur. Je bougeais à la perfection, alternais avec les singeries les plus débiles ou restais immobile sur la piste, attendant que la musique me prenne. Elle m'attendait comme on attend quelqu'un qui marche plus lentement que soi. Quand je la rejoignais, ça repartait. J'aimais danser au ralenti alors que tous se déchaînaient. Ou être à contretemps. Aucune importance. J'étais avec la musique. Chaque chanson apportait un thème. J'essayais de me renouveler chaque fois. Serge mettait parfois *Socialist* de PIL. C'était impossible à danser. Tout le monde quittait la piste. Je m'élançais et occupais l'espace à moi seul, virevoltant et sautant d'un bout à l'autre. Le centre m'appartenait. Aux premières notes d'une bonne pièce, je sautais au milieu, quitte à bousculer tout occupant récalcitrant. Quand les Straycats jouaient, la piste se vidait au complet et les rockabilly l'envahissaient. On restait sur le bord à attendre. Ou on allait sniffer du PCP aux toilettes. On revenait en courant aux premières notes de *London Calling*. C'était l'hystérie. Le punk se mettait à couler dans nos veines. L'énergie extrême allait droit au cœur. On devenait fous… Ça se mettait à sauter, grimper aux murs et se rentrer dedans. Le plancher oscillait sous la charge. On ne faisait plus qu'un. L'amas difforme avait une vie à lui, bougeant lourdement, comme une tribu. Au milieu de la chanson, un cri effroyable arrachait les boyaux et inoculait l'agonie de l'humanité. La blessure du monde se répandait en nous. Frères et sœurs de l'ombre continuaient de slammer, pogoter et se désosser sous les «ouuu!», «ouuu!», «ouuu!» du chanteur. Le délire aurait duré l'éternité si ce n'avait été d'un événement particulier…

Hiver 1983. Un Noir vint avec ses tables tournantes. Il s'appelait DST et arrivait de New York. L'establishment underground de la ville était assis sur la piste de danse, examinant le phénomène. Il enchaîna une série de vieux tubes disco intercalés de rap, un truc dont personne n'avait entendu parler. Alors qu'un disque jouait, il l'arrêta de la main et le fit rapidement aller et revenir, ce qui produisit un curieux son. C'était du scratch. Le concept me plut. Faire de la musique avec de la musique… Un paradoxe tout à fait dans l'esprit punk. Il joua deux copies de *Good Times* de Chic en boucle, raccourcissant graduellement l'espace entre les coupes. Fallait le voir gesticuler. À la fin, il passait d'un disque à l'autre sur les paroles « good times »… « good times — good times — good times… » Le sorcier Noir avait trouvé un mantra sur mesure pour libérer nos âmes. Répété souvent et pénétrant à notre insu le subconscient, ce concentré de musique disco agit comme un contrepoison, neutralisant peine, colère et détresse accumulées sur ce plancher des tortures. Quelque chose de lumineux surgit au-dedans et perça les épaisseurs de nuages noirs. Ça picotait dans mon sternum. Extraordinaire... J'avais envie de danser ! Mais personne ne bougeait. Résigné, je restai assis sur le sol, me contentant de faire aller mon thorax. Les gens étaient déchirés entre leur appartenance au punk et la découverte d'un style de musique pigeant allègrement dans le disco, l'ennemi juré. Je sentis quelque chose dans mon dos. Laurence, une mince au regard triste, était debout et me poussait de sa jambe.

— T'as envie de danser ? dit-elle de son chic accent parisien.

— Oui, répondis-je.

— Eh bien, lève-toi et danse !

À ma grande surprise, je me levai et me mis à danser sur le petit espace que je venais de libérer. Les gargouilles me regardaient. Je fermai les yeux et me laissai planer. Seul sur mon petit îlot, je célébrai ma libération. Après de longues minutes, d'autres se levèrent. Plus tard, la moitié des gens se trémoussaient sur les tubes disco.

Mes potes André et Simon produisaient une émission de radio sur les nouvelles tendances musicales. André mit la main sur *The Message* de Grand Master Flash. J'étais près de la console quand il mit l'aiguille sur le disque. La pièce débuta… « It's like a jungle sometimes, it makes me wonder how I keep from going under… » On se regarda sans arriver à dire un mot. Ces paroles allumèrent nos cœurs punks, la basse fit vibrer le reste de nos carcasses… « Don't push me cause I'm close to the edge, I'm trying not to lose my head. » La société américaine était dépeinte dans l'étendue de sa sordidité… Détresse, chaos, impuissance. Un regard de laser sur l'american dream et ses répercussions sur les petits, les minorités, les laissés pour compte. Ça faisait pas dans la dentelle. Gras, cru, en pleine gueule ! La poésie respirait la détresse. Le rythme martelait le chaos. Ça entrait par le sommet du crâne comme un coup de hache et ça descendait en dedans, anéantissant toute trace d'illusion au sujet de cette société malade. Un concentré de révolte dans un enrobage coloré. Ça frappait en pleine face ! Ça ébranlait tout ! Il nous en fallait plus…

J'allai à New York avec mission de trouver du rap. J'arpentais les petites rues de SoHo à la recherche de Bleecker Bob's, un magasin légendaire. J'entrai. Aux murs, derrière le comptoir, les nouveautés. Une pochette attira mon attention. Sur fond Keith Haring, un ghetto-blaster affublé de cornes, d'antennes et d'une panoplie de gadgets. Le nom sur la pochette : Malcolm McLaren. Bingo ! « I want this », dis-je en pointant la pochette au vendeur, un maigre aux cheveux foncés et au visage pâle. Il me regarda, perplexe. Ce devait être mon accent. « It's my last copy », dit-il d'un accent British… « We might not sell it. » Il se retourna et cria quelque chose à un vieux ailleurs dans le magasin. Le vieux répondit un truc et le jeune mit l'album sur le comptoir : « Okay… twelve bucks. » Je sortis un chèque de voyage et mon passeport. Le vendeur poussa un soupir. À contrecœur, il ramassa le passeport et l'ouvrit. Après l'avoir examiné quelques secondes, il cria au vieux et lui fit signe de venir. Qu'est-ce qui n'allait pas ? Le jeune montra le passeport au vieux qui l'examina à son tour. « The picture doesn't look like you », dit-il… « I'm affraid I won't be able to accept this as an I.D. » Je regardai mon passeport. J'avais l'air beaucoup plus jeune.

— I grew up.

— I can see this.

Le vieux sourit. Vendre ce disque à moi ou à l'un des millions d'habitants de la ville…

aucune différence. Fallait que je trouve quelque chose.

— Ok, repris-je, if you let me buy this record, I will play it on the radio and tell everyone to come shop at your place.

— You work at a radio station ?

— Yep !

— And you'll tell your listeners about Bleecker Bob's ?

— Yes I will.

Le temps s'arrêta. Il me regarda dans les yeux et vit sa propre fougue quand il avait 20 ans et ne vivait que pour la musique. Nous avions été contaminés par le même virus, mais à deux époques différentes. Les mots n'avaient pas d'importance, pas plus que la photo sur le passeport. Je ne sortirais pas du magasin sans mon disque. Il voulait s'en assurer. La seconde s'étira. Les souvenirs s'estompèrent. Il fit signe au jeune. Pendant que l'autre procédait à la transaction, il ouvrit le comptoir vitré, sortit une petite épinglette verte et me la donna. C'était écrit Bleecker Bob's. « This is for you », me dit-il. Le vieux retourna à sa vie. Je sortis du magasin, mon disque sous le bras. Simon et André allaient tomber sur le cul.

Quelques rues plus loin, deux petits Noirs de six ou sept ans tiraient un chariot avec une gigantesque radio. Le convoi s'arrêta devant une clôture métallique. Le plus grand alluma l'effroyable engin d'où émergea une puissante voix saccadée. Puis, miracle ! Les deux gosses se mirent à gigoter de façon extraordinaire… Leurs mouvements étaient totalement fluides, comme si leurs os étaient liquides. Je demeurai là, pétrifié, à observer cette matière curieusement vivante jusqu'à ce qu'un des deux stoppe le monstre. Ils repartirent avec leur chariot pour aller déverser leur magie ailleurs. D'autres Noirs pratiquaient cette danse étrange. Parcs, trottoirs, métro… tout devenait une scène où s'exprimait la poésie de cette ville électrique.

Simon s'emballa spontanément en entendant mon récit. Mais où apprendre cette danse ? Ici, personne n'en faisait. Il loua *Flashdance*. On écouta le film assis dans le canapé mauve du petit salon. Au milieu, les Rock Steady Crew firent une prestation en pleine rue. Une minute de pure magie ! On tassa les meubles et repassa l'extrait encore et encore en essayant de reproduire leurs mouvements. Simon se mit à surveiller les vidéos et les pubs, à la recherche du moindre indice.

Le disque de McLaren était pour le moins hétéroclite : break dance, double dutch, musique traditionnelle africaine, cubaine, meringue… Cette juxtaposition disparate, c'était du Drano pour l'esprit. Impossible de reprendre son souffle. Entre les pièces, des extraits radio du *World Famous Supreme Team Show.* De minuscules capsules de vie d'où jaillissait la culture hip-hop. Du tac au tac, animateur et auditeur s'échangeaient d'outrageuses reparties. Ce rap en direct rappelait l'odeur des rues de New York. Ailleurs, l'animateur devenait preacher : « Leave your gun home… you don't need it. » Je jouai ces extraits sans arrêt. L'exubérance me prenait tout entier… veines, cheveux, muscles. Ça secouait violemment ma fibre. Ce lavage moléculaire me permit de renaître, abandonner le no future, la morosité et l'état dépressif.

Je devins muscles, m'entraînant sans arrêt, n'importe où, n'importe quand. Des pompes en attendant le bus, dans les corridors, partout. En fondant, mon gras libérait le PCP accumulé dans mes tissus. Ces molécules se liaient aux derniers millilitres d'adolescence circulant dans mes veines. Ce puissant soluté décupla mes forces. J'explosai ! 20 pompes ici. 50 redressements assis là. 100-200-300 pompes. Rester en mouvement. Bouger, bouger, bouger. Au service du rythme. C'était militaire. S'entraîner partout, tout le temps. Tel un ouvrier du mouvement. Travaillant sans relâche pour arriver à tourner en rond avec grâce. Apprivoiser la force. La combiner à l'agilité. Mais surtout, le rythme, le rythme, toujours, partout, martelant tout. Les années précédentes, mes atomes s'étaient éparpillés. J'y allai d'un formidable resserrement afin d'étouffer mon désespoir. Tel l'animal pris au piège, on piétinait le sol sous nos pieds. Pour de courtes secondes, on se libérait. La transe menait où aucun avion ne peut aller. Le temps que Simon tourne sur la tête, que mes jambes fassent trois fois le tour de mes bras, nos atomes avaient des millions de fois fait le tour de leurs noyaux. La Terre, elle, avait à peine bougé. L'énergie générée était fabuleuse. À force de brûler les molécules chimiques, je libérai mes cellules. Mon âme se raréfiait, s'épurait, se préparait à un choc formidable.

Nous étions la flamme qui danse au-dessus des embûches, se rit des hommes, improvisant sur des rythmes syncopés. Dans ma toge Adidas, je faisais mes pas d'approche, attendant que la musique me prenne… Et j'allais au sol faire ma routine. Tourner autour de mes bras, faire aller mes jambes le plus vite possible, agir avant de comprendre, emporté par le son, au centre du monde, tous ces yeux, mes pirouettes, je m'élance dans le ciel, atterris et enchaîne avec un back spin, essoufflé, fini. Les autres arrivent, m'entourent. Nous sommes la vie, la joie, la puissance, l'esprit nous sépare, le primitif nous unit.

Au mois d'août, on alla à New York, Simon, moi et Harold, notre vieux copain fêlé qui avait loué une voiture. La monstrueuse agglomération projetait sa confusion loin à la ronde. Cent milles avant d'arriver, on captait déjà un signal radio saturé de distorsion. Ça ajoutait une patine existentielle à la musique. On arriva passé minuit, au son de la poésie syncopée. On roula jusqu'au bout de l'île, comptant le nombre de McDo sur Broadway. On arrêta au dernier. Alors qu'il plaçait sa commande, Simon demanda du ketchup. La serveuse mit une montagne de petits sachets rouges dans le plateau. Pendant qu'on mangeait, j'en couvris la table.

— Imaginez combien ce gaspillage peut coûter à McDonald ? dit Simon.

— La ville est tellement grande, ajouta Harold, c'est normal de gaspiller plus qu'ailleurs.

Un homme s'assit à la table voisine avec sa commande. Quelques minutes plus tard, je l'observai du coin de l'œil. Il ne bougeait plus. Il tenait dans une main son hamburger entamé et avait les yeux fermés !

On loua une chambre au Carter puis on ressortit acheter de la bière. En revenant, on croisa des gamins noirs d'environ 14 ans. Ils fumaient du pot en écoutant un enregistrement de la radio sur un très petit ghettoblaster. Simon alla les voir, discuta un moment avec eux puis revint vers nous : « Ils proposent de nous faire fumer pis qu'on les fasse boire. » On alla vers eux :

— Where ya from ? demanda l'un d'eux.

— Montreal, répondit Simon.

— Follow us if you wanna smoke.

— Why ? demandais-je.

— We don't smoke on the street here. We might get caught by a cop. You don't smoke on the street in Montreal either.

Il se passait quelque chose de bizarre. Nul besoin de se cacher pour fumer à Montréal. Encore moins ici. Harold et Simon marchaient devant moi en parlant avec les Noirs. Je les suivis malgré un pressentiment. On arriva dans un parc pour enfants entouré d'une clôture métallique. Le sol était recouvert de caoutchouc. Un Noir alluma un joint. À cinq heures du matin, il y avait un va-et-vient continuel dans ce minuscule parc. Les gens entraient d'un côté et sortaient de l'autre. Les trois Noirs furent bientôt six, puis neuf. L'un d'eux essaya de nous montrer un tour de break dance. De toute évidence, il n'y connaissait rien. On était bien trop enthousiastes pour s'encombrer d'un tel détail. Pour nous, tous les Noirs étaient des breakdancers. Il me demanda de placer les bras d'une certaine façon afin de me montrer un nouveau mouvement. Je m'exécutai. Il passa ensuite derrière moi et me fit une prise de bras. Impossible de bouger. À ce moment, trois ou quatre mains me fouillèrent. Ils prirent mon portefeuille, dix dollars américains et jetèrent mon argent canadien à terre. Simon était en culottes courtes. Il n'avait rien sur lui. Les mains insistèrent, mais il n'avait rien à fouiller. Harold se fit voler vingt dollars et ses chèques de voyage. En partant, un des Noirs se retourna et nous lança: «Brother's shit». On rentra à l'hôtel, marchant en silence. Il commençait à faire clair.

— Vous avez entendu ce qu'il a dit en partant? dit Simon... Il a dit «Brother's shit»... On aurait dit qu'il voulait nous faire sentir qu'ils nous avaient trouvés sympathiques.

— Si c'est ce qu'ils font à ceux qu'ils trouvent sympathiques, dis-je, je voudrais pas voir ce qu'ils font à ceux qu'ils n'aiment pas.

— Une chance qu'ils nous ont trouvés sympathiques, conclut Harold.

Étendu dans notre petite chambre, les yeux fermés, je revis la scène. Je n'en revenais pas... On s'était fait avoir comme des amateurs. Mais ce qu'on avait vécu valait bien mes dix malheureux dollars volés. C'était plus vrai qu'au cinéma!

Le lendemain, Simon décida d'acheter un ghettoblaster. On marchait sur la 42e rue, fascinés par les vitrines remplies de radios, appareils photo, walkmans... Partout, ça scintillait.

On entra dans un magasin. Simon pointa de la main un appareil à double cassette. Le vendeur le mit sur le comptoir. J'ouvris le compartiment à cassette : « Les têtes sont pointues... C'est un signe de qualité. » Simon se pencha pour voir de plus près. Je demandai une cassette au vendeur. Il m'en passa une vierge. J'enlevai l'emballage, la glissai dans l'engin, enregistrai la radio, puis fis jouer l'enregistrement. Ça sonnait vraiment bien.

— Y'a pas de différence, dit Simon.

— Je te l'avais dit... et puis c'est un double cheeze... ça veut dire que tu vas pouvoir faire des copies.

Je négociai le prix. « Anything else ? » demanda le vendeur. Simon demanda une cassette supplémentaire. Le vendeur en mit une autre sur le comptoir. Simon paya avec des chèques de voyage en dollars canadiens. Le vendeur lui redonna la monnaie comme s'il avait payé en dollars US. On rigolait en marchant sur le trottoir.

— Ils ont même pas vu que le chèque était en dollars canadiens.

— Ils savent pas où c'est le Canada... ceux qui connaissent ça doivent penser que ça fait partie des États.

À la radio, le même hit jouait partout… *Fast Life* de Dr. Jeckyll and Mr. Hide. KISS et WBLS jouaient cette chanson sans arrêt. Les Noirs qu'on croisait avec un ghettoblaster écoutaient l'une ou l'autre. La chanson jouait avec un décalage. Le délai d'une station à l'autre créait une impression bizarre, comme l'écho d'une vie perdue dans cette immense cité. Un écho retransmis par des milliers de haut-parleurs envoyant chacun le même signal se fracassant sur les tours de verre. Une seule chanson sur toutes les stations radio du monde. « At the end of a shotgun blast, your future could be your past… » Poésie sur mesure pour cette ville et fort appropriée après notre mésaventure de la veille. On avait rencontré des fastlife kids. Le scratch rendait fou. Ça entrait dans le cœur, en saccade, comme le sang pompé de façon irrégulière, funky et folle comme toute cette ville. On dansait n'importe où. Personne faisait attention à nous. La radio joua ensuite *HardTimes* de Run DMC, le meilleur groupe du monde. Un son dissonant rappelait que quelque chose ne tournait pas rond ici. Le son dopé de la radio compressait des millions de watts pour faire tomber les tours de béton. La métropole du monde avait son propre palmarès, assez puissant pour ébranler le reste de l'humanité. Quelque chose se passait ici que le monde entier ignorait. Ce secret était diffusé à coup de millions de watts. Ce terrorisme sonore envahissait tout, martelait le cervelet de tous… *Peace, love, unity and having fun* chantait Africa Bambataa. Les poètes du micro écrivaient l'Histoire. Plus aucune autre musique, que ce funk électrique, violent voltage électrisant le sang. Le rap était la drogue sine qua non pour vivre dans cette ville trop grande, trop peuplée. Il unissait les habitants, recyclant souffrance et désespoir en exubérante joie de survivre. Comme un filet de sécurité par lequel on arrive à ressentir toutes les détresses et le criant besoin d'humanité quand on est enseveli sous le béton brûlant. Jamais la poésie n'avait été si vitale. Même exporté au dehors, c'était impossible de comprendre la fusion entre New York et le rap. L'un n'allait pas sans l'autre. Poison et contre-poison, l'un et l'autre essentiel à la vie. Lequel était lequel ? Le monde entier allait se le demander au cours des vingt prochaines années.

Pommes d'argent

Samedi matin. Un mal de tête lancinant menace de prendre de l'ampleur. J'entre à l'épicerie. Le magasin est désert. Un employé est occupé à regarnir le rayon des poires. Un léger jazz flotte. La journée paraît soudain moins maussade. Je passe devant le comptoir des viandes, espérant voir la mignonne. Elle n'est pas là. Mon regard croise un gars à lunettes. Parfois, je parle musique avec lui durant de longues minutes. Ce matin, je m'en sens pas la force. Trop engourdi pour manier les mots, mon cerveau refuse de coopérer. « Salut », je m'entends dire. J'arrive à la caisse devant une femme corpulente. De la chaleur humaine émane de ses rides. Je me sens en confiance, prêt aux confidences. « Ça fait sept et quarante-sept », dit-elle d'une voix crevassée d'où surgit le néant. Sans mot dire, je paye, ramasse l'hebdo culturel et sors.

Je traverse la rue pour éviter le soleil. Rendu chez moi, j'ouvre la porte, dépose mon sac sur la table et continue droit au salon. Qu'est-ce que je pourrais écouter ? Je ferme les yeux et essaie de prévoir la météo de mon âme. Un signal à peine perceptible résonne. Ça vient de loin. Le refrain virevolte dans mon crâne sans que je puisse l'identifier. Il franchit des mètres de connexions nerveuses rien que pour me harceler et reviendra me hanter au cours de la journée, comme une ritournelle publicitaire qui nous poursuit jusqu'à ce qu'on achète le maudit produit. Laissons tomber. Je regarde la section ambiante. Eno, Fripp et compagnie. Tous écoutés à outrance. Au milieu de ces disques éculés, un album oublié. David Sylvian. Je ne supporte pas sa voix langoureuse, mais un des deux disques est instrumental. C'est celui que je mets… La lenteur sonore m'enrobe, comme les chaudes couvertures de la nuit.

Les rôties sautent hors du grille-pain. Je les cueille sur le comptoir, m'assois et ouvre l'hebdo. J'adore lire en mangeant. Ça me donne l'impression d'en avoir plus à absorber. Je survole quelques titres à base de jeux de mots douteux. L'édito est aussi coiffé d'un titre boiteux. Je plonge malgré tout… Une déclaration à l'emporte-pièce. Puis des tournures chocs. Ça s'essouffle, trébuche et, à la fin, cafouille carrément. Je reste dans la confusion complète, comme si mes neurotransmetteurs s'étaient soudainement évaporés. Je suis peut-être pas assez réveillé. Les films maintenant. Juliette parle d'un réalisateur que tout le monde connaît, si je me fie au ton qu'elle emploie. Tout le monde sauf moi. Tournures habiles. Jargon saupoudré avec soin. Ce texte savamment rempli de vide m'ennuie. J'étale du beurre sur les rôties. Rubrique CD. L'album de la semaine, un DJ local qui fait dans la house. Il n'a pas composé les pièces. Il s'est contenté de les fondre ensemble. Ça mérite cinq étoiles ! Que peut bien valoir une étoile aujourd'hui ? Il y en a bien 50 sur un seul drapeau et pourtant ! J'attaque une rôtie. Voyons les autres CD. Je dévore les petits paragraphes sous les pochettes miniatures. Phrasé adroit. Références choisies. Ennui mortel. Aucun de ces écrivailleux n'est possédé par la musique. On parle peu des musiciens et jamais de ce qu'on a ressenti à l'écoute. Où est le disque qui nous jette à

l'existence de ma voisine néo-hippie. Un rideau émerge de sa fenêtre. Je rentre.

À travers les vitres, le ciel ne grisonne plus. Les rayons de soleil tombent sur le plancher de bois, révélant de petites boules de poussière qui s'agitent sous l'effet de la chaleur. Je mets du disco dans le piton et fais la danse du vide. Je circule sur le plancher, tire sur le boyau de l'aspirateur et agite le long tuyau qui fait disparaître, comme par magie, ce terrain de jeu pour acariens. Sur le rythme, je virevolte, m'élance, pivote et tente l'impossible : transformer un aspirateur en ballet. Dans l'élan, j'envoie le tuyau loin sous un meuble et puis plus rien. Le cordon s'est déconnecté. Je distingue soudain une paire de jambes et redresse la tête. C'est Normand : « J'ai sonné mais ça répondait pas. » Je laisse l'aspirateur et baisse la musique. Il se faufile discrètement sur mes talons. « Tabarnouche… T'en as des disques ! » Mes neurones cherchent une réponse. Leur circulation est ralentie par les métaux lourds qui souillent mes connexions nerveuses. Rien n'apparaît dans ma tête. De toute façon, il n'y a rien à répondre. « C'est pas mieux le laser ? » demande-t-il. L'humanité vient de s'exprimer. Je passe près d'ouvrir le robinet et, à la dernière seconde, me retiens. « Pas vraiment », je me contente de répondre. Soudain, son visage difforme prend un air effaré. Il vient de remarquer les caisses de son. Deux cubes rectangulaires fini chêne d'un mètre par soixante-cinq centimètres. Sur le devant, une grille recouverte de tissu brun. Au bas, cinq lettres. ALTEC. « Pourquoi des caisses grosses de même ? » Mon cerveau fait l'inventaire des munitions. Je m'apprête à me lancer dans une plaidoirie à coup de watts, efficacité, rendement… mais à la dernière seconde, je me ravise. « Assis-toi », je me contente de lui dire. Normand s'assoit sur mon vieux sofa beige grisonnant. Je choisis un morceau de funk avec des basses bien grasses et monte le volume.

Un raz-de-marée nous pulvérise. Tout devient carré, noir, sensuel. Ce piston sonore défonce ma cage thoracique, envahit mes artères et plonge jusqu'au creux de mon estomac. Des carcasses d'acier avancent et arrêtent à intervalle régulier. Pour un instant, de la chair humaine se greffe au métal. Des dizaines de bras oscillent à la même cadence. Dans la pénombre, des yeux se ferment et s'ouvrent. De la vapeur s'échappe des machines. De la sueur coule sur les visages. Malgré le bruit, la fureur et la souffrance, la main-d'œuvre à bon marché est heureuse, comme les vaches ignorant qu'elles entrent à l'abattoir. Un courage aveugle pousse à croire qu'on peut s'en sortir. De cette détresse sourde émane une chaleur interne. L'âme libère ces ouvriers de la perpétuité. Dans leur cœur, ils chantent, au rythme de la cadence mécanique qui résonne dans le monde entier et fait vibrer jusqu'aux vitres de mon salon.

Je baisse le volume. La pression acoustique s'atténue. La pièce se vide. Un cillement se poursuit dans mes oreilles. Normand est immobile. La musique circule dans son crâne. Des vagues lui déferlent sur le visage. Quand ça se calme, il ouvre la bouche :

— Ouin, ça joue ben ! Tes voisins se plaignent pas ?

— Y'a quelqu'un en face qui envoie la police de temps en temps.

— C'est pas moi.

— Ça, je m'en doute.

Il se lève et approche des caisses.

— Pourrais-tu m'en avoir des bonnes caisses ?

— Faudrait que je vois.

Je le raccompagne à la sortie. Il se retourne : « En tout cas, j'aimerais ben ça que tu me fasses des cassettes. » Sans répondre, je ferme la porte derrière lui.

Je mets un CD ambiant et m'allonge sur mon lit. Pour la sieste, le laser est idéal. Pas besoin de se lever pour le retourner. Ça s'arrête tout seul. Mieux encore, comme on dort, on ne l'entend pas ! Je songe à Normand. Avec de grosses caisses, il dérangerait tout le quartier. Ça me fait sourire. Je pense aux ventes de garage à venir. Aux trois ou quatre filles qui m'ont marqué cette semaine. Ces filles qu'on voit et qu'on ne peut oublier. Il y a cette sublime rousse dans l'immeuble en face. Quand je la vois, je tremble. Et puis cette jeune fille dans le bus, debout, juste à côté de moi. Éclaboussé par sa sensualité, torturé par ses petits seins sous son gilet blanc, j'en souffre encore. Je me noie dans un magma sensuel. Les cheveux de l'une, le nombril de l'autre, les seins d'une troisième. Vingt minutes plus tard, je ne dors pas. C'est idiot de penser à des filles quand on veut dormir. Je me tourne sur le côté, me mets en boule et essaie de penser à rien. Le film reprend. Visages, cheveux, lèvres… ces images qui ont imprégné ma rétine sont recrachées malgré moi par mon cortex sur mon écran intérieur. Faudrait un piton pour mettre ça à « Off ». Sur les tables de DJ, un dispositif permet d'ajuster la vitesse du disque. J'imagine avoir le même bidule dans la tête. Ça fonctionne ! La vitesse de défilement passe de quatre images/seconde à trois, deux, une. Entre les images, c'est noir. J'essaie d'allonger ces pauses jusqu'à ce que l'obscurité me pénètre profondément et que j'oublie tout. Mourir, ça ressemble peut-être à ça... une image agréable qui s'atténue à la même vitesse que l'univers s'étire.

Quand j'ouvre les yeux, plus de musique. J'ai pas dormi, mais ça m'a calmé. Je savoure la doucereuse transition entre le pays des songes et celui des mensonges. Puis j'observe mon ménage. Pas grand changement. Pourtant, quelque chose est différent. Je regarde le bordel autour de mes disques. Une rangée de cassettes s'empoussière sur une planche. Je vais à la cuisine, prends un torchon humide et reviens essuyer les cassettes une à une. Plusieurs ont un photomontage. Ça évoque souvenirs et époques révolues. Chacune amène sa dose de nostalgie. Je tombe sur un montage particulier... Deux petites pommes découpées dans du papier aluminium collées sur du papier foncé. À l'endos est écrit : « Luv. Vava Völ ».

Au milieu des années 1980, j'étais DJ dans un club, un endroit underground fréquenté par une clientèle d'artistes urbains et de flippés locaux. Sur la façade de l'édifice, des peintres avaient fait une murale totalement éclectique... un hélicoptère et des missiles tridimensionnels avec toutes sortes de bidules qui s'allumaient la nuit. À l'intérieur, c'était un peu la même chose. Une orgie de culture postindustrielle. Les DJ faisaient jouer surtout de l'alterno, un sous-produit de la culture punk et new wave, annonciateur du techno et autres décrépitudes musicales des années 1990. Je tournais surtout du psychédélique. J'adorais les groupes bizarres des années 1960 même si je n'y connaissais à peu près rien. Je tournais toujours *I Had Too Much to Dream Last Night* des Electric Prunes, *I'm Not Your Stepping Stone* des Monkeys et des trucs récents à consonance psychédélique : Cramps, Nomads, Jesus and Mary Chain...

La cabine des DJ était spacieuse, peinte tout en noir. Une table et des bancs pour les invités. Deux tables tournantes et une énorme console pour le DJ. Des centaines de disques dans une grande étagère couvrant un mur entier. Sur une tablette facile d'accès, les nouveautés et les disques de chaque DJ. La cabine était juchée un étage plus haut. Pour voir la piste de danse, je n'avais qu'à regarder en bas. Je mis une longue pièce pour avoir le temps d'aller me chercher une bière, histoire de me réchauffer. Je sortis de la cabine et passai par les loges. L'énorme portier était étendu sur le côté et dormait sur les tables. Je passai à côté de lui et descendis les marches. Je m'arrêtai sur la piste de danse vide pour écouter comment ça sonnait. Pas si mal et, surtout, pas trop fort… du moins, pas encore ! Sur un mur, un appareil projetait une profusion de couleurs fluides. Very psychédélique ! Je traversai l'endroit à peu près désert. Deux gars étaient accotés au comptoir. La barmaid parlait à l'un d'eux. Elle ressemblait étrangement à Nina Hagen, avec une énorme fausse tresse blonde descendant jusqu'aux fesses. Tout en elle transpirait la caricature. Son rire éclatant perça la musique. J'écoutai nerveusement la pièce en me demandant quand elle viendrait me voir. Je m'apprêtais à retourner en haut lorsqu'elle se décida à venir vers moi.

— C'est toi le nouveau DJ ? dit-elle avec un sourire meurtrier qui me révéla l'ampleur de sa personnalité.

— Ouin.

— Je m'appelle Vava. Veux-tu quek' chose ?

— Je prendrais une bière.

— Pas de problème, mon cœur !

Elle se pencha pour ouvrir un frigo, me montra sa croupe, sortit une bière, la décapsula, la déposa sur le comptoir et me regarda de ses longs yeux noirs : « Ça fait un dollar… T'as droit à cinq bières à prix staff. » Je sortis un dollar en me demandant quand le disque allait se terminer.

— C'est bon ce que tu fais jouer.

— Merci !

Elle avait la voix légèrement enrouée. Son épais maquillage cachait une personnalité chaleureuse. Je souris timidement.

— Veux-tu entendre quek' chose ? lui demandais-je.

— Mets de quoi qui brasse. Faut que ça se réveille icitte.

Je sentis soudain une urgence, comme quand on a très envie et qu'on court aux toilettes pour l'inonder de bonnes intentions.

— Faut que je retourne, dis-je en tournant les talons.

— Envoye ! Mets-nous de la bonne musique ! cria-t-elle alors que je m'étais déjà éloigné du bar.

Je traversai la salle et montai les marches deux à deux. Sueurs froides. Chaque seconde, la musique pouvait s'arrêter. Ce qui arriva une fois rendu dans les loges. Je courus jusqu'à la cabine et fis démarrer la seconde table tournante. Pas de son. Merde ! Je montai le potentiomètre sur la console. La musique revint enfin. Un silence de trois ou quatre secondes... Bof, rien d'alarmant en début de soirée.

Je redescendis quelques fois chercher de la bière ou pisser. Au milieu de la soirée, je fis jouer une pièce de Cabaret Voltaire de l'album *Voice of America* acheté à Toronto quatre années auparavant. Tout à coup l'autre DJ se précipita dans la cabine. Ses 200 livres faillirent me pulvériser au passage. Il passa derrière moi, se pencha sur la table tournante et me regarda de ses yeux de saint-bernard.

— C'est quoi qui joue ?

— Cabaret Voltaire.

Je sortis la pochette de la pile. Il me l'arracha de ses grosses mains.

— Hein… je connais pas ça… C'est-tu nouveau ?

— Ça date de 1980.

— C'est don ben avant-gardiste !

Nous étions en 1985. Je souris timidement, n'osant pas lui dire que cette musique n'était pas en avance mais que c'est lui qui était en retard. Il redressa la tête et fit une sortie théâtrale, déposant au passage sa bouteille vide sur la table à demi-couverte de corps-morts.

Trois heures moins quart. Je pris le micro et dis : « Last call, dernier service. » À moins cinq, je mis la pièce de fermeture… *La fête triste* de Trisomie 21. Quelques filles maganées, la plupart prostituées, arrivèrent sur la piste de danse. Leurs tristes silhouettes se déhanchaient sur le tempo ralenti de cette musique à pleurer. Derrière elles, le portier disposait savamment les tabourets sur les tables. C'était la fin de quelque chose. La pièce se termina. Je mis mes disques dans mon sac à dos, fermai les tables tournantes et sortis de la cabine en prenant soin d'éteindre. En bas, j'ouvris le placard réservé au système de son. Une montagne de bidules électroniques générait un bruit de machine. Je fermai les énormes amplis. En se vidant de leurs milliers de watts accumulés, les condensateurs firent claquer les haut-parleurs : « Poc ! ».

J'arrivai en vue du bar, marchant nonchalamment avec mon sac et mon skateboard. Je me tenais discrètement près de la porte en examinant ce qu'il y avait au menu. Quand j'étais chanceux, je partais avec une fille, un des bénéfices marginaux à être DJ. Je reluquais une petite blonde à qui j'avais déjà parlé. Elle était avec deux autres gars. De toute façon, je la trouvais un peu connasse. Soudain, Vava passa en coup de vent, glissant au-dessus de la fange. Elle m'accosta :

— Veux-tu venir chez moi ?

— Ok.

Laissant la bande à demi-saoule derrière, on descendit l'escalier étroit à toute allure comme pour oublier que ça s'était passé un peu rapidement. On marcha jusqu'à son scooter. « Embarque derrière moi », dit-elle. J'embarquai, mais c'était trop pour le petit scooter. J'avais mes disques et mon énorme planche. « Je vais m'accrocher », lui dis-je en mettant ma planche à terre. Je fis le trajet sur mon skate, accroché au scooter, en essayant d'éviter les trous dans la chaussée. De temps en temps, elle se retournait pour me dire un truc, mais je ne compris pas grand-chose… son carrosse en pétaradait un coup. On s'éloigna du centre-ville par une artère déserte, passa sur un pont enjambant une voie ferrée et arriva dans le quartier le plus pauvre du pays. L'est de la ville. Des manufactures de bouffe à toutous côtoyaient des logements miteux. Une odeur dégueu de nourriture à cabot flottait dans l'air. On s'arrêta près d'un bloc délabré et isolé, les immeubles voisins étant chose du passé. Je la suivis dans un escalier pourri jusqu'à son repaire. On arriva dans la cuisine. C'était propre. Elle déposa son casque sur une table.

— As-tu faim ?

— Non.

Mon ange de cuir disparut dans l'obscurité. Au mur, une coupure de journal : « Mort après avoir sniffé du Pam ». Les armoires de cuisine étaient couvertes de motifs primitifs. De la clarté émergea. Je décidai de m'aventurer. Je passai dans une pièce sombre qui débouchait dans un petit salon kitch surchargé. Aux murs, une multitude d'affiches bizarres. Bibelots, livres, piles de revues. Une télé projetait des images muettes. Au milieu de la confusion, deux posters se détachaient. On y voyait Divine, le travelo le plus célèbre de l'époque. « Ici, c'est le salon pour la télé. J'ai un paquet de films si ça t'intéresse. J'ai même des films pornos. » Je jetai un coup d'œil à la rangée de vidéos. Que des films de série B.

— As-tu vu Pink Flammingos ? me lança-t-elle.

— Non.

— You got to see it ! It's unreal !

J'étais dans la caverne d'Ali Vava ! Je la suivis dans un autre salon, celui-là beaucoup plus grand. Des lumières tamisées et colorées révélaient d'étranges affiches aux murs. Je distinguai les créatures fantasmagoriques des Cramps. Fauteuils fifties et lampes assorties. Une multitude d'objets hétéroclites meublaient ce temple de la contre-culture. Au bout du salon, une salle réservée à la musique. Un drum, des guitares électriques, des amplis, un micro sur pied, un stéréo... Chacun de mes sens était branché à un soluté. Partout des objets demandaient à être touchés. Des affiches, à être regardées. Et Vava, à être... Elle m'entraîna dans sa chambre. Un berger allemand était étendu sur le lit. « C'est Alfie ! » Alfie sauta hors du lit et alla vers Vava qui lui prodigua une affection spontanée et abondante. Elle lui parla en anglais, comme s'il était un bébé. Sa voix se fit plus douce : « Come see mummy. Who's the good dog ? Is Alfie a good dog ? » Lorsqu'elle cessa de jouer avec lui, Alfie vint vers moi et me renifla un peu partout sous le regard attentif de Vava. C'était la minute de vérité. Alfie se mit à branler la queue. J'avais passé le test ! Vava sembla soulagée. Sa chambre allait avec le reste de l'appart. Aux fenêtres, des rideaux en feutre noir avec des motifs dorés. Pas possible… des rideaux funéraires ! Là, je trouvais qu'elle avait fait un peu fort ! « C'était là quand je suis arrivée », dit-elle, comme pour me rassurer. « Je trouvais ça drôle, alors je les ai laissés », s'empressa-t-elle d'ajouter. On divagua à propos des anciens locataires, essayant d'imaginer à quoi ils pouvaient ressembler. C'étaient sûrement de drôles d'oiseaux. « Mets de la musique », dit-elle en sortant de la chambre. Je remarquai une vieille boîte en faux crocodile remplie de cassettes. Elles étaient toutes dotées de photomontages. J'en pris une au hasard. Elle ne m'inspira pas. Je la remis dans la boîte et en sortis une autre avec une jolie couverture en papier gris. C'était écrit en allemand. Je ne connaissais aucun des groupes. Je la mis dans le ghettoblaster. De la musique industrielle. Une onde carrée m'électrisa. C'était un bon choix. Un immense portrait agrafé dans le plâtre couvrait un mur. Un artiste du graffiti avait immortalisé le visage de Vava en mauve, violet, noir et bleu. Dans un coin, un bureau avec une panoplie de produits de beauté, crèmes, accessoires. Accrochés au miroir, photos, bijoux, colliers, bracelets... toujours dans le kitch. Vava entra dans la chambre avec une bouteille de Henkell et deux verres.

— On va fêter ça !

— Fêter quoi ?

— Notre rencontre.

Le bouchon frappa le plafond. Elle remplit nos verres. On trinqua. « À nous... » Son philtre maléfique descendit dans mon gosier. J'aimerais pouvoir écrire que je lui ai sauté dessus et que je l'ai baisée jusqu'à ce qu'elle me supplie d'arrêter... il y a peu de chances que ce soit arrivé. L'alcool aidant, on s'est embrassé. On a joué aux fesses. Et je suis tombé endormi entre le chien et la chienne.

Lorsque j'ouvris les yeux le lendemain, Alfie ronflait d'un côté et Vava de l'autre. Son maquillage était sur l'oreiller. J'essayai de me lever mais j'étais coincé. Très doucement, je tassai le chien et remontai mes jambes vers l'oreiller. Une fois debout, je m'habillai et sortis de la chambre. La lumière du jour changeait l'endroit du tout au tout. Je traversai le salon, m'attardant sur des détails de la gargantuesque décoration. L'appartement avait moins de cachet de jour. Je remarquai deux autres chambres dont les portes étaient fermées. J'arrivai dans la salle de musique et pris le temps d'admirer les instruments. Ensuite, je fouillai dans les disques. Une sélection hétéroclite… Nancy Sinatra, le métal box de PIL, de la musique concrète… Ah, tiens… bizarre… des pochettes rouges avec la croix gammée. Pas croyable ! Des disques nazis ! J'en pris un. Au verso, Adolf le bras en l'air, en train de prodiguer un édifiant enseignement à la nation. J'étais sous le choc, à la fois fasciné et dégoûté. Vava arriva en robe de chambre avec la fraîcheur de ses trente et un ans. Elle me tendit un verre de jus d'orange. « Ah, ça, c'est ben bon », dit-elle… « Des discours d'Hitler. C'est écœurant ! » Elle se pencha sur la pile et sortit une pochette entièrement métallisée. « Connais-tu ça ? » Je n'avais jamais vu cette pochette. Au milieu, deux pommes tracées comme si on avait fait un graffiti au pochoir. À elle seule, la pochette était une énigme totale. « Tu connais pas les Silver Apples ! » Elle mit le disque sur la table tournante. « Ça, c'est de la musique pour nous. » Une mélodie en boucle de quatre notes produites par un instrument électronique, une batterie jouée mécaniquement, des voix écorchées récitant une poésie radioactive. Le Velvet Underground passait pour des enfants de chœur en comparaison. Cette musique datait de 1967… Des années-lumière en avance ! Elle me tendit le feuillet intérieur en couleur. « Regarde comme ils sont flyés. » On voyait les deux musiciens, coupes psychédéliques et pantalons fleuris, avec leurs amplis, la batterie et le « simeon », une sorte de synthétiseur maison fait avec des oscillateurs et autre matériel électronique. Les photos avaient été prises sur un toit à Manhattan, avec l'Empire State Building en arrière-plan. Ces images se frayèrent un chemin jusque dans mon âme. Vava venait de brancher un nouveau circuit dans mon cerveau. On recula de vingt ans. Le soleil couchant, la brunante électrique, on passa ces dernières journées d'été à écouter les « pommes d'argent », musique d'automne à tomber dans les pommes.

Un soir où je travaillais, elle entra dans la cabine, déposa une cassette sur la console, m'embrassa et ressortit. C'était l'intégrale des Silver Apples. Elle avait repris le motif de la pochette, créant des pommes métalliques avec du papier aluminium. J'étais fou de joie. Je pouvais écouter les Silver Apples!

Un matin, alors qu'elle était allongée dans le lit, elle me dit d'ouvrir le placard. Je sortis un élégant blazer allongé noir. «Essaye-le», dit-elle. J'enfilai le blazer et m'observai dans le miroir. Avec mes cheveux longs, j'avais l'air très psychédélique. Dans le placard, il y avait aussi de superbes pantalons de ski rayés noir et bleu. Je les enfilai aussitôt. Ils m'allaient parfaitement. Seul hic, pas de fermeture éclair sur le devant. Pour pisser, je devais débraguetter ma culotte, descendre la fermeture éclair sur le côté et baisser entièrement le devant du pantalon.

Vava me prêta sa copie du premier Silver Apples pour que je puisse en faire jouer au club. J'achetai le second dans un magasin de collectionneurs appartenant à un de ses copains. Quand je les faisais jouer, je mettais trois ou quatre pièces en ligne, violant la sacro-sainte règle des DJ qui consiste à ne jamais mettre le même groupe deux fois de suite. Je m'en foutais. Pour moi, ce groupe était le top.

À la fois précurseur du punk, de l'industriel, de l'électro pop… Quand le quart d'heure Silver Apples arrivait, je blastais l'endroit de décibels. L'ouragan emportait tout. J'imaginais les clients s'accrochant aux murs pour ne pas être emportés. Un soir que je marchais lentement dans le bar avec mon long blazer noir afin de constater les dégâts, le portier m'accosta : « Ma blonde dit que t'as l'air d'un ange avec tes longs cheveux. » Au milieu de la faune flétrie, je devais contraster. Vava m'avait vu arriver. Elle déposa une bière sur le comptoir avant que j'atteigne le bar. Le DJ saint-bernard était occupé à engloutir une des vingt bières qu'il buvait chaque soir. Je portais mes anciennes culottes de ski dont les poches intérieures étaient défoncées. Vava s'approcha de moi, glissa sa main dans une des ouvertures donnant accès à mon gréement. Sentant une masse en expansion, elle me dit, d'un ton emprunté à une émission télé pour enfant : « Ohh ! What have we got here ? » Elle me palpa un peu trop. Je dus retourner en haut avec une bosse suspecte dans mon pantalon. Heureusement, le long blazer descendait par-dessus.

Muzak à gogo

Y'a rien comme écouter la musique dans le piton ! Fenêtres grandes ouvertes, elle s'envole et contamine le voisinage. Quand je blaste la place, je me sens vivre ! Le son transperce chacun de mes atomes, en fait du steak haché. L'air s'infiltre profondément en moi. Je plane.

La musique est le détergent de l'âme. Elle charrie la merde. Vous laissez tremper, ça ressort plus blanc. Quand c'est vraiment sale, faut mettre à cycle rapide… Du punk ou autre truc décapant. Ça déloge la crasse, la bêtise, la connerie. Tout ce qui colle à la peau et empêche nos pores de respirer. N'en déplaise aux voisins, faut sortir les vidanges.

Vivre, c'est un peu emmerder les autres.

Mon voisin Normand est un drôle de moineau. Il s'est décoloré le peu de chevelure qui lui reste. Ça lui donne un air cool. Il passe des heures sur sa terrasse à observer l'horizon. Quand il entend un truc qu'il aime, il vient voir.

L'autre jour, il faisait une soirée et avait besoin de musique. Je lui ai prêté quelques cassettes. Il ne les a pas rapportées. J'ai dû aller les récupérer chez lui. Depuis, il me harcèle pour que je lui en fasse. J'ai pas trop envie.

C'est du boulot… Choisir les pièces. Une à une. Que la crème. Assembler ça pour que ça vive. Se laisser guider par le son, la rythmique, ce que ça évoque. Les enchaînements font toute la différence. Au lieu de subir un méli-mélo de chansons disparates, on a une longue mosaïque sonore. Une bonne cassette, c'est organique. Ça peut prendre quatre ou cinq heures à faire. Alors je réserve ça à mes potes. Quand je veux faire plaisir à un copain, je lui fais un tape.

Bon, ça y est… Normand fait irruption, bière à la main. « Est-ce que je peux entrer ? » demande-t-il. Il est déjà à l'intérieur ! Il dépose un billet de 50 dollars sur le comptoir. « Ça fait longtemps que je te le demande… Là, c'est assez ! Je veux que tu me fasses des cassettes ! » Puis, il tourne les talons et s'en va en coup de vent. « Hé, attends ! » je dis. Trop tard, il est déjà sorti. Vaincu, je remonte le son, m'écrase dans mon sofa, ferme les yeux et me laisse griser par les basses profondes.

Le lendemain matin, dans la cuisine. Le billet de banque sur le comptoir rappelle l'irruption de Normand la veille. J'irai le lui rendre plus tard. Alors que je déjeune, le billet brille. J'essaie de ne pas le voir. Mes yeux sont attirés vers lui. La mécanique se met en marche... Je pourrais acheter des disques avec cet argent. Ça pourrait aussi payer l'épicerie. Et merde ! Je vais devoir faire deux cassettes pour 50 dollars.

Mon déjeuner avalé, je vais au salon et observe mon étagère à disques. Normand a un magasin d'antiquités. Du lounge fera l'affaire... l'esprit vieillot des vieux beats ira à merveille avec la patine des vieux meubles et la cire d'abeille... Yma Sumac, Esquivel, Xavier Cugat, Perez Prado... Voyons les nouvelles acquisitions... un disque s'intitule *The Crazy Horse Saloon of Paris*. Sur la pochette, une effeuilleuse avec un casque militaire allemand et des médailles de guerre pendues à son sein gauche, le tout devant une projection du drapeau américain. J'ajoute ce disque à ma sélection.

J'essaie d'enlever l'emballage d'une cassette en suivant les indications. Impossible. J'arrache finalement la cellophane et en extirpe la cassette. Maintenant, les têtes du magnéto... Je trempe un coton-tige dans une bouteille d'alcool à friction et badigeonne la surface luisante en métal. Ensuite, je fais avancer le ruban jusqu'au début de la partie magnétisée, en faisant tourner tant bien que mal un des anneaux d'entraînement de la cassette avec mon auriculaire. Je la glisse dans le magnéto et appuie sur play et rec.

Avec quoi débuter ? Hum... ça prend une pièce qui donne envie d'écouter le reste. Allons-y avec « March of the Toys » de Marty Gold. C'est entraînant et joyeux. Parfait pour débuter ! Maintenant, ajuster le niveau d'enregistrement. Le signal n'entre pas. Qu'est-ce qui cloche ? Ah ! Le sélecteur était sur tape au lieu de source. Je change la position du sélecteur. Ouille ! Plusieurs voyants lumineux rouges s'allument. Je baisse le niveau jusqu'à ce qu'un seul clignote et remets l'aiguille au début du disque. Alors que j'immobilise le disque, le plateau cesse de tourner lui aussi. J'enlève le disque, remplace le couvre-plateau en caoutchouc par un autre en feutre et remets le disque. Ah! Maintenant, ça glisse comme sur une table de disc-jockey! Je mets l'aiguille. Dès que j'entends un son, je fais doucement reculer le disque, pars le magnéto et laisse aller le disque. La pièce débute. Le niveau est bon. Je vérifie la qualité d'enregistrement, passant de source à tape. Le son est à peu près identique. Les aigus sont moins dynamiques sur la cassette, mais ça sonne bien. Et puis, ça sonnera toujours mieux qu'un disque compact dont il n'y a que le son qui soit compact. La pièce terminée, j'appuie sur pause. Ensuite? Je fais défiler les pochettes dans la pile, sors Perrey & Kingley. Une avalanche de moog, boucles sonores et folie instrumentale, s'abat dans mon salon. Cette utopie électronique me surprend autant que la première fois… Elle me plonge dans un univers métaphysique. Trop bon! Surtout trop intense à ce stade-ci de la cassette. Un thème de film alors? Non. Yma Sumac? D'une main, je repère le début d'une bonne pièce et maintiens le disque en place. De l'autre, je fais jouer la fin de la pièce sur la cassette. Quand elle se termine, je laisse aller le disque. Ça enchaîne parfaitement. J'arrête le magnéto, fais reculer la cassette jusqu'à la fin de la pièce et enfonce la touche rec. Je remets le début du morceau sur le disque, pars le magnéto et vérifie les niveaux. Tout baigne. La voix rauque d'Yma Sumac chatouille ma chair. Elle grimpe soudain de trois ou quatre octaves et me propulse ailleurs. En dedans, ça circule. Des mémoires oubliées de vies jamais vécues. Je suis imbibé de parfums exotiques, oiseaux magnifiques et animaux à sang chaud jusqu'à la fin de la pièce. Quoi mettre après un chef-d'œuvre ? Si on met moins bon, ça tombe à plat. Essayons Esquivel. Je sors le disque de sa pochette et le dépose sur le plateau de ma vieille Garrard. Dans le noir du label est écrit : « The Genius of Esquivel ». On dirait que je ne me suis pas trompé. On y voit un chien assis devant un gramophone. Je mets *St-Louis Blues*. Dès les premières notes, je suis électrifié… C'est la pièce qu'il me faut ! Je vérifie l'enchaînement… Parfait ! Je pars le magnéto et chavire. Les textures musicales raffinées et l'esprit humoristique m'ensorcellent. Et puis s'abattent arrangements de piano, constellations de xylophone et harmoniques supersoniques. Des voix étonnantes émergent du sombre vinyle… des cliquetis symphoniques et des mélodies hyperréalistes. Je suis envoûté jusqu'à la fin.

Le dilemme ressurgit. Quoi mettre ? J'ai amorcé une montée dans l'humour. Je poursuis avec une pièce carrément folle. Je sors l'album *The Amazing New Electronic Pop Sound of Jean-Jacques Perrey* et mets la pièce *Frere Jean Jacques*, une version orbitale du classique enfantin. Inutile de vérifier si l'enchaînement fonctionne. Je pars le magnéto, laisse aller le disque. Les clochettes m'emportent. Ma naïveté est éveillée par ce mélange de sons bouclés et de mélodies chaudes. Mon enfance entière passe par un transistor. Ma carapace masculine se lézarde. Le cœur pur d'un enfant émerge. Mon aura s'agrandit, occupe le salon en entier, se connecte à l'univers. Je suis entièrement ouvert, jusqu'à ce que je reconnaisse les dernières notes de la pièce. Je m'approche du magnéto et appuie sur la touche pause au moment exact où la pièce se termine, mettant ainsi fin à cette expansion soudaine de mon imaginaire. Je remets délicatement le disque dans sa pochette. Ensuite ? Je ne peux plus monter. J'ai atteint le sommet. Seule solution, changer le fil conducteur. Je mets une version orchestrée du thème de *Star Trek*. On reste dans les étoiles. Dès que la pièce débute, je sens qu'elle convient. Non seulement réussit-elle à prolonger les harmoniques émotives encore ambiantes de la pièce précédente, elle arrive même à me la faire oublier ! Je pars le magnéto et vais à mon bureau faire la liste des pièces mises jusqu'à présent. Quand j'ai terminé, il y a cinq titres sur le petit papier.

Cinq heures plus tard, après avoir réenregistré des pièces qui ne convenaient pas, après avoir repris des enregistrements mal synchronisés, après d'autres recherches dans ma collection pour dénicher des morceaux qui m'ont échappé, la cassette est finie… comme moi. Sur le petit papier où j'ai noté les pièces, 20 titres par côté. Sur deux étiquettes autocollantes, j'écris le titre de la cassette : *Muzak à gogo*. J'en mets une de chaque côté de la cassette et l'abandonne sur mon bureau. Je n'ose pas l'écouter. J'ai besoin de recul.

Le lendemain matin, je l'écoute en accordant une attention particulière aux enchaînements. Ça coule. Il y a bien deux ou trois endroits où la pause entre les chansons est trop longue ou trop courte d'une seconde, mais dans l'ensemble, c'est excellent. Je n'y ai pas consacré cinq heures pour rien.

Je traverse la rue et entre dans le magasin de Normand. Au fond, j'arrive dans un atelier.

Ça sent le décapant et la cire d'abeille. Il est en train de décaper une vieille armoire. Derrière ses lunettes, il sourit. Je lui donne la cassette : « C'est de la crème. » Il la prend et lit l'étiquette. « M'as écouter ça pis je t'en reparle. » Il se remet au travail. Je retourne sur mes pas en marchant lentement afin d'observer ses meubles. J'imagine en posséder un. Mais tout est cher, pas mal plus cher que la petite cassette que je viens de pondre.

Deux jours plus tard, Normand arrive le soir chez moi avec six bières. À peine entré, il s'en débouche une et m'en offre une. « J'ai ben aimé la cassette. » Il sort le boîtier. De son doigt crasseux, il pointe un titre. « Mais j'aime pas cette chanson-là, ni celle-là, pis celle-là. » Je suis anéanti !

— C'est impossible que t'aimes toutes les chansons, je dis... une cassette, c'est un tout. Avec le temps, tu vas sans doute l'aimer en entier.

— Chez moi, ça joue pas terrible... J'peux-tu la faire jouer ici ?

Je prends la cassette et la mets dans le magnéto. Il en profite pour s'asseoir dans mon sofa. « Ah !... là, ça sonne », dit-il. Je vais à la cuisine chercher ma bière. Quand je reviens, il est en train de fumer. Je suis sidéré ! Sur ma porte d'entrée, deux affiches stipulent l'interdiction de fumer... Et le voilà qui y va de longues volutes bleutées !

— Hé ! tu peux pas fumer, ici !

— Ah... fait-il en éteignant sa cigarette... Va donc me chercher une autre bière.

Je retourne à la cuisine. En revenant, je crois avoir une hallucination... Il a rallumé sa cigarette ! Il va me faire craquer. Je le sens.

— Hé !... Je t'ai dit que tu pouvais pas fumer ici.

— Ah, 'scuse-moi !

Il éteint à nouveau sa cigarette.

— Si tu veux fumer, tu peux aller dehors... T'écouteras par la fenêtre.

La cassette continue de défiler.

— C'est bon mais... je sais pas... y'a de quoi qui manque.

— J'ai travaillé cinq heures sur ce tape-là. Pour ton magasin, c'est parfait !

— Oui, oui, mais j'aurais aimé ça, comment dire, quelque chose de plus rythmé.

— Plus rythmé ?

— Des trucs qui jouent dans les clubs.

— Du house ?

— Oui, oui, c'est ça.

— Pour un magasin, ce sera pas bon. Trop rapide ! Il faut que tes clients prennent le temps de voir ce qu'il y a dans le magasin. Du house, ça va les speeder pis y vont passer moins de temps.

— Ben, pour moi d'abord, dit-il en me regardant d'un air névrotique de gros bébé un peu saoul.

Il me fait pitié. Mais il est rigolo et pas prétentieux pour une cenne. Il termine sa bière et retourne chez lui. Je peux enfin me coucher. Je ne l'ai pas volé. Merde… Je dois lui faire encore une cassette !

Allongé dans mon lit, je regarde le plafond. Vingt-cinq malheureux dollars pour cinq heures de travail, ça fait pas cher l'heure. Mais il m'est arrivé d'avoir une récompense à la hauteur de mes efforts.

Elle avait la chevelure dorée et transpirait la sensualité. Je la vis la première fois à l'université. Elle attendait en ligne devant moi. Elle dégageait quelque chose de sauvage. J'en eus le souffle coupé ! Toutes mes cellules voulurent instantanément se fondre en elle. Je n'osai pas lui parler. Je me contentai de l'admirer à distance.

Je la revis dans un bar alternatif. Les bières ingurgitées soignèrent ma timidité. J'allai lui parler. Avec mes cheveux longs et mon chemisier fleuri en polyester, elle pensa que j'étais une fille. C'était une ricaneuse. Quand elle riait, la douceur se frayait un chemin jusqu'à son cœur. J'avais brisé la glace. Restait à me jeter à l'eau.

L'occasion se présenta dans le bus en revenant de l'université. Après les ennuyeuses heures de cours, elle était une savoureuse apparition. On ricana encore. Elle m'invita à prendre une crème de menthe chez elle. J'acceptai même si je déteste la crème de menthe.

Elle avait le génie de la surface. Avec trois fois rien, elle avait transformé un modeste logement en un endroit sympa. Dans sa chambre, murs et draps étaient à motif léopard. Ça lui allait comme un gant. Féline, elle était. Féline et dure. Un caractère de colonel sur un cul de fée. Elle mit une cassette de musique psychédélique. Parfait avec le décor.

Je décidai de lui en faire une en me basant sur ce qu'elle m'inspirait. *Gypsy love* de Silver Apples. *Love Without Sound* de White Noise. *Doin' the Napoleon* de Napoleon XIV. *All*

Black and Hairy de Screaming Lord Such. *I Can See for Miles* des Who, le tout mélangé à des trucs alternatifs… Cramps, Jesus and Mary chain, Dukes of Stratosphear. Une fois terminée, je l'écoutai. Un peu dense. Peut-être trop. Allait-elle me prendre pour un psycho ?

Maintenant que j'avais mon philtre, ça prenait un emballage pour le mettre en valeur. Je voulus faire un photomontage mais renonçai à l'idée. Fallait que la cassette lui fasse une impression qu'elle n'oublie jamais. Un lot de disques sans pochette traînait dans un coin. Je décidai de faire un boîtier de cassette en vinyle. Ce fut compliqué. Exposé à la flamme nue, le vinyle brûlait. J'en fis fondre dans l'eau bouillante. Ça fonctionnait mais quand je sortais le vinyle, il durcissait avant que j'arrive à lui donner une forme. Le résultat était peu convainquant. J'étais pourtant si près du but. J'eus alors une idée… Je pris une vieille cassette qui ne servait plus, la mis dans un morceau de vinyle entouré d'un élastique et envoyai le tout dans l'eau bouillante. L'eau ramollit le vinyle, l'élastique le força à épouser la cassette. Je sortis et laissai refroidir. J'enlevai la cassette souillée par l'eau et insérai celle que j'avais enregistrée. Elle entrait et sortait à la perfection. C'était au-delà de mes espérances. Restait à aller porter mon offrande.

La pire côte de la ville nous séparait. Je gravis les marches de l'escalier menant en haute-ville. Rendu chez elle, j'ouvris la lourde porte, montai les marches et laissai la cassette dans un sac accroché à la poignée. Je rentrai chez moi en essayant d'imaginer son visage en voyant le boîtier de cassette.

Mon logement coûtait 80 dollars par mois. Une cuisine, une chambre. Ni bain, ni douche. Un bol de toilette dans une pièce de la taille d'un placard. Quand j'étais sur le bol, mes genoux touchaient le mur. Aux murs de la chambre, j'avais accroché de vieux disques avec des vis. J'avais appliqué de la peinture aérosol fluo sur de la ficelle et fais un réseau joignant les vis. Ça faisait une gigantesque toile d'araignée spatiale. Le jour, ça donnait l'illusion de rayons laser. La nuit, des jets de lumière colorée passaient à travers des grilles métalliques trouées et projetaient d'étranges ombres sur les murs de papier mâché.

Quand j'avais emménagé, un vieux divan en vinyle traînait dans la place. Le motif du vinyle était similaire à l'effet d'une goutte de peinture noire ajoutée à un pot de peinture blanche après avoir légèrement brassé. Allongé sur ce divan, je passai des nuits à attendre son appel en écoutant *Electric Cafe* de Kraftwerk et *Technoprimitiv* de Chris & Cosey. Les lourdes basses donnaient vie à mon cocon psychédélique. La petite chambre se mettait à résonner tel un organe flottant dans le cosmos. Les sonorités intenses glissaient le long de ma colonne et envahissaient mon cortex. À coups de marteau, l'avenir se frayait un chemin en moi. Le jour, j'allais recevoir ma programmation à l'université. La nuit, le code machine s'appropriait mon être. Allais-je enfin devenir un gentil robot ?

Déjà deux semaines. Elle n'avait pas appelé. Je commençai à douter. C'était peut-être les Silver Apples… un peu indigeste. Puis, un soir, elle appela. Sa voix caressa mon oreille, descendit dans mes artères et m'enflamma. Elle était là ! Je savais plus quoi dire. Je me ressaisis et l'invitai à manger.

Le grand jour arriva. J'allai me laver au pavillon des sports de l'université. En passant à la blanchisserie, je laissai mon t-shirt blanc. On m'en donna un propre. Durant quatre ans, l'université lava mes t-shirts en plus de mon cerveau. Sur le chemin du retour, je fis quelques courses. Une fois à la maison, je fis le ménage et attaquai la lasagne.

Quand quelqu'un arrivait chez moi, l'escalier de bois sur le côté de la maison vibrait sous l'impact des pas. Quand je sentis les marches vibrer, mon cœur se mit à battre plus vite. Elle arriva en talons hauts, minijupe, enrobée d'un attirant parfum. Une vision mortelle. Je n'arrivais pas à croire qu'elle était là. Alors que je me trouvais dans la chambre en train de chercher un disque à mettre, elle ouvrit la porte du four et constata que les nouilles de la lasagne étaient dures. Elle fut surprise lorsque je la servis. Les nouilles étaient al dente. Elle ne connaissait pas les nouilles précuites.

Après le souper, on traversa dans la chambre. Assis sur le canapé psychédélique, on écouta *Days of the Future Past* des Moody Blues. Ça créa une atmosphère douce et sensuelle. Je me levai pour changer de disque et mis Trisomie 21. Cette musique de science-fiction créa une tension insolite parfaite pour le décor. En revenant au divan, je vis qu'elle s'était tournée pour regarder à l'extérieur. Je m'arrêtai à six pouces d'elle, envoûté par sa chevelure et son parfum. Je tremblais. J'approchai doucement ma tête de la sienne. J'avais le visage dans ses cheveux. On se frotta comme des chats. Mon cœur cognait comme un fou. Il voulait sortir de sa cage. Mes mains plongèrent. Je sentis sa peau douce sous mes doigts. Je remontai jusqu'à ses petites pommes qui comblèrent mes mains. Elle se tourna. J'eus soudain l'impression d'être déshydraté depuis des années. Je savourai sa bouche. Ma langue reconnut le territoire. Elle me débraguetta. Sentant sa bouche sur ma peau, je frémis. Son corps mince me chevaucha. Quelque chose se mit à monter. Ça monta, monta encore sans que j'éjacule. C'était puissant. Dix fois plus qu'un orgasme normal. Assommé par cette étrange énergie, je paralysai partiellement. « Mon dieu, j'ai l'impression d'être en train de te tuer », dit-elle en souriant.

Le mode dépêche

Devant mon étagère à disques, je me sens comme au supermarché au milieu de centaines de produits identiques. Quoi mettre ? Cette question surgit sans arrêt plusieurs fois par jour. Je trouve des petits morceaux de réponse. Chaque fois que je mets l'aiguille sur un disque. Mais sitôt la musique terminée, ça ressurgit.

La réponse facile est de tomber dans la musique type. Aller où je suis déjà allé. Anodin en apparence. Mortel en réalité. Pour moi, du moins. Dans ce monde calculé, où jusqu'au moindre détail est réfléchi et mis en marché, le prévisible devient assassin. Nos atomes parcourent le même circuit et rêvent qu'au moins une fois l'un d'eux quitte sa trajectoire et en percute d'autres, générant une libération en chaîne. Écouter de la musique est une quête de liberté. Aller au-delà d'ici, maintenant. Quitter à jamais le morne quotidien. Fuir cette croûte terrestre.

Parfois, je mets le premier truc qui me tombe sous la main. Deux minutes plus tard, je sens que ça ne fonctionne pas. Les notes sont comme au mauvais endroit. Je retourne m'aventurer dans ma collection à la recherche du chaînon manquant. Je me sens perdu. Je ne reconnais plus aucun disque. J'en mets un autre au hasard… autre mauvais choix. Seul avec moi-même, je me résigne à affronter mon vide intérieur à froid. Quelque chose cherche à se manifester. Une partie singulière, macabre, bizarre. Je l'étouffe, mais elle revient me rendre la vie impossible selon un cycle complexe. Comme la Lune. Elle demande un peu d'attention et n'a que faire de la musique de surface.

Quand je ne file pas, c'est que j'écoute trop de pop. Perdu dans l'anonymat des mélodies grand public, je sèche par en dedans. Ce lent poison me possède, m'enivre, me stérilise. Il faut rouvrir les plaies, sentir à nouveau la brûlure de l'air sur le sang frais. Vite ! un truc bizarroïde… Residents, Zappa, Varèse, n'importe quoi d'imprévisible qui laboure les neurones et remette le compteur à zéro.

L'amertume n'arrive pas à suivre. Elle se perd dans un dédale gris clair. C'est comme rester sous l'eau pour éviter une mouche tenace. Ça marche toujours. Le tout est d'y rester assez longtemps.

Mais même les trucs bizarres finissent par devenir prévisibles. Faut changer de style, écouter des trucs qu'on n'ose pas. L'an passé aux puces, je suis tombé sur un album de Jerry Lee Lewis. Ça faisait des années que j'en cherchais un en bon état. Dès la première écoute, j'ai accroché sur une pièce à consonance country. Du country ! Emporté par l'exubérance, cette pièce m'a mis en transe. Je ne pouvais le croire.

Découvrir une chanson qui m'émeut est un grand moment. C'est pour ça que je vis. Je retrouve une partie perdue de moi-même. Une vie antérieure soudain ranimée. Ça me donne l'impression qu'il y a de l'espoir, que tout n'est pas irrémédiablement joué d'avance et que, peut-être, je vais y parvenir. À quoi ? Hum…

Le téléphone m'évite la crise existentielle.

— Allô.

— Salut, c'est Robert.

C'est l'oncle qui m'a initié à la musique sérieuse. Quand j'avais 16 ans, il est allé en

Amérique du Sud faire une étude en anthropologie. Avant de partir, il m'a prêté une pile de disques jazz et prog. Je les écoutais religieusement. Ils étaient imprégnés de son tabac à pipe. Chaque fois que j'en mettais un, l'odeur sucrée me faisait penser à lui. Je lui ai écrit. Il ne m'a pas répondu. À son retour, je suis allé chez lui. Ça faisait quatre ans que je l'avais pas vu. J'avais hâte de lui raconter ce que j'avais vécu et de lui parler de la musique que j'avais découverte. Il était derrière son petit bureau avec des fiches et des livres jusqu'au plafond. Durant deux heures, il m'a parlé de sa thèse de doctorat et de sa méthodologie de recherche. Son enthousiasme m'a ennuyé au plus haut point. Je l'ai écouté poliment. Je suis parti poliment. Je l'ai plus jamais appelé. Je me demande bien ce qu'il me veut.

— Je suis en train de déménager. J'ai des caisses de disques pour toi. Ça t'intéresse ?

— Oui, oui.

Sur le coup, je suis surpris. C'est un mélomane averti. Il s'est sans doute converti au laser.

— Es-tu capable de venir les chercher ?

— Je vais essayer.

Qui a une voiture et pourrait me dépanner ?

Une heure plus tard, je suis dans une rôtisserie portugaise avec Thomas, un colosse au crâne luisant. Ça sent la friture à plein nez. Il est en train de transformer un poulet en pièces détachées. Il me parle de son patron qui le fait royalement chier.

— Il a détruit la vie d'un paquet de mecs avec qui je travaille. C't'un hostie. Pis là, il me fait passer en conseil de discipline.

— C'est quoi ça ?

— Ça, ça veut dire que m'as aller poireauter comme un con, pis qu'ils vont me poser un paquet de questions, pis que mon dossier va être en réévaluation.

— Pis…

— Ils peuvent décider de me virer. Ça fait dix ans que je travaille là. C'est pas évident d'être sur appel. Je peux jamais prendre de vacances au cas où on m'appellerait… Si je veux prendre un congé, faut que je booke malade. Si je le fais trop souvent, ils me font passer devant le conseil de discipline.

— Ouin, mais t'es bien payé.

— Oui, mais j'ai pas de vie.

Thomas avale une bouchée de poulet. Je pige dans ses frites.

— Pense à ton affaire comme y faut. Parce qu'une fois que c'est fait, tu peux pas retourner en arrière.

— C'est réfléchi.

— T'as pas mieux à faire avec ton fric?

— Oh, je suis capable de faire faire la job pour pas trop cher.

Thomas arrache la cuisse de la carcasse. Même les briseurs de jambes doivent faire des rabais.

— Il a dit qu'il avait peur de personne... Je l'imagine dans le noir à genoux demander pitié.

— Si jamais il apprend que c'est toi?

— Pas de danger. J'ai ben hâte de le voir rentrer au bureau en béquilles. M'as passer devant son bureau, pis m'as lui dire: «Comme ça, t'as peur de personne?»

— Y'a p't'être des enfants?

— M'en fous! Un salaud de même, ça mérite pas de vivre.

— Tu peux pas faire une plainte contre lui?

— Y en a qui l'ont fait. Y'a toujours fini par avoir leur peau. Des pauvres bougres avec des familles. Ils pouvaient pas quitter la job. Y'é a rendus fous. Y en a un qui s'est suicidé.

Thomas déviande une cuisse avec les dents. Partout des gens se font chier avec des patrons qui ne savent pas à quel point on les déteste. Si le crime organisé existait juste pour en remettre quelques-uns à leur place, ce serait déjà ça. Thomas n'est pas du genre qu'on peut faire chier très longtemps. Plus de six pieds, crâne rasé et malin. Son patron va en avoir pour son argent. Mais quelque chose en moi intervient. Je ne peux le laisser faire. Ça doit être un relent de judéo-christianisme à la con.

— Y en a tu qui craquent dans ta compagnie ?

— Plein. Les chauffeurs quand ils tuent quelqu'un la première fois, y en a qui s'en remettent jamais.

— Qu'est-ce vous faites quand vous frappez quelqu'un ?

— On arrête le train. On va voir pis on avertit les autorités.

— C'est quand même pas mal de pouvoir tuer des gens et d'être payé pour.

— Bof, moi ça me dérange plus.

— Thomas, je pense que t'es un grand sensible qui s'ignore…

Thomas fronce les sourcils. L'information circule entre ses deux oreilles sans pouvoir être décodée.

— Tu vas aller voir ton médecin et tu vas lui dire que ça t'affecte, que t'as les nerfs en boule.

— Ouin, mais c'est pas vrai.

— Merde!… t'as rien compris… Ton boss te fait chier… tu peux rien faire… Utilise les armes que t'as. T'es chanceux. Ça devrait être assez facile de convaincre ton médecin que t'es en état de choc après avoir décapité quelqu'un.

— M'as y penser, dit-il en engouffrant un morceau de poulet.

On sort du resto et on embarque dans sa vieille bagnole sur le point de rendre l'âme. À chaque changement de vitesse, la tôle vibre. Je fouille dans les cassettes de la boîte à gants et en sors une intitulée «Muzak de fin du monde». C'est moi qui l'ai faite. Je la pousse doucement dans le radio qui finit par l'avaler. La musique débute. De l'alterno pesant remplace la conversation vide que nous aurions eue. Cette décrépitude sonore va à merveille avec le décor… un quartier ouvrier grignoté par des manufactures hideuses et nauséabondes.

L'odeur de mélasse alterne avec celle de bouffe à chien.

On arrive dans le quartier de mon oncle. Des deux côtés de la rue, une suite sans fin d'affiches enlaidissent un paysage pourtant difficile à gâcher davantage. Fast-food, clubs vidéo et autres merdouilles essentielles à l'abrutissement de la nation. En bon communiste, mon oncle vit dans un quartier prolétaire qui compte un fort pourcentage d'immigrants. Je regarde les adresses. Thomas stationne.

La porte est ouverte. On entre au milieu des boîtes. Mon oncle arrive. Il a un peu engraissé. Il grisonne aussi. Il me met une caisse dans les bras. « En voici une. » Il en donne une autre à Thomas.

— Pourquoi tu te débarrasses de tes disques ? je demande.

— Je suis rendu au laser.

Toute sa vie, il a parlé contre le capitalisme. Il est finalement tombé dans le piège de l'industrie de la musique.

On ramène les caisses à la voiture et on retourne. Quand c'est fini, je vais seul à l'intérieur. Angela, sa femme d'origine sud-américaine, est là. Je la salue. Elle ne semble pas me voir. Elle a sans doute oublié tous les trips qu'on a faits ensemble quand j'avais seize ans. On se promenait dans les ruelles et on tirait avec un fusil chargé à blanc. La police venait. On se cachait et on rigolait. Ouais, elle a oublié.

Robert arrive avec sa table tournante: « Tiens, j'en n'aurai plus besoin. » Je la saisis avec précaution. Il m'accompagne sur le perron où s'amoncellent des détritus.

— Ça t'intéresse ? demande-t-il en désignant des étagères peu convaincantes en plastique blanc.

— Pas vraiment.

Il disparaît dans la maison. Je marche jusqu'à la voiture et embarque en faisant attention à la table.

— Pas très chaleureux le mononcle, fait remarquer Thomas.

— C't'un intello.

J'essaie de ne pas y penser mais il a raison… Pas de « bonjour », ni de « j'espère que ça va bien pour toi ». Quel enfoiré !

Rendu chez moi, j'examine mon héritage. Trois boîtes contiennent du classique et du contemporain. Du classique, j'en n'écoute pas. Mais il y a un coffret de Harry Parch avec un livret où l'on voit les instruments qu'il a construits. Ça, c'est intéressant! Aussi un Edgar Varèse avec une photo du compositeur, l'air possédé. Les autres boîtes sont bourrées de Miles Davis, Charlie Parker, Archie Shepp… Depuis le temps que je rêve d'avoir une bonne section jazz. Il a quand même été chic, l'enfoiré!

J'aime bien le jazz. Surtout quand je mange. Les trucs des années 20, 30, 40 et 50. Be-bop, cool et New Orleans. Le lounge aussi. Tout ce qui peut créer une atmosphère organique, propice à la digestion. Faut que ce soit un peu lent. Pour ralentir le repas et faire durer cette communion. Assortir le rythme à celui du cerveau qui ralentit, victime de la digestion qui s'impose. Ensuite, la mélancolie digestive paralyse nos facultés. Vaut mieux continuer dans le mollo. La lenteur pose plusieurs avantages d'ordre gastrique. Le beat par minute, c'est bon pour la restauration minute, où les gens commandent, avalent, sortent, meurent, sont enterrés et mangés à leur tour par les vers, fossoyeurs ultimes dont le service rendu à l'humanité est trop souvent sous-estimé.

Du beat par minute, j'en ai écouté pas mal quand je travaillais dans un bureau. Chaque matin, je sautais dans le métro. Tête baissée, je fonçais dans le vide au rythme de l'album *Violator* de Depeche Mode. Assommé par la rythmique froide, j'observais la paroi de béton. Sur le mur gris, des chiffres surgissaient à intervalles réguliers, comme un décompte avant le début d'un film. Les gens voulaient de la merde ? Eh bien j'allais leur en vendre !

J'avais décroché un boulot de concepteur publicitaire. Je me creusais le ciboulot pour trouver des idées. Mon cubicule était derrière l'imprimante. Les secrétaires venaient attendre que les feuilles sortent de la machine. Leur commérage me rendait dingue. Impossible de me concentrer. Le piaillement portait sur leur nouveau vernis à ongle et tout ce qu'elles pouvaient imaginer pour compliquer la vie de leur mec. Tout ça en odorama. J'imaginais les pauvres gars faire des pieds et des mains pour satisfaire ces princesses. Des précieuses qui s'étaient masturbées en idéalisant un peu trop le prince charmant. La pire… la secrétaire administrative. Son titre lui était monté à la tête. Fallait qu'elle fasse sentir sa supériorité.

Un jour, je voulus aller à la salle de bain adjacente au bureau du patron. Normalement, fallait sortir du bureau et aller dans le corridor. Mais j'avais vraiment très envie. La secrétaire administrative m'expédia, d'un ton chiant: « C'est réservé au patron… en dehors de lui, JE suis la seule autorisée à l'utiliser. » Merde que j'avais envie! Encore davantage en lui voyant la fraise. Je tournai les talons et marchai les fesses serrées, me concentrant sur mon sphincter, priant pour qu'il accomplisse sa divine tâche jusqu'aux toilettes.

Lorsque les pétasses venaient faire étalage de leur futilité, je me rabattais sur mon walkman. Depeche Mode, Pet Shop Boys et New Order me permirent de fuir ces ânesses. Restait le parfum. Je songeai à mettre un masque à gaz. Avec mes gigantesques écouteurs, j'aurais eu l'allure d'un travailleur œuvrant dans un endroit dangereux, ce qui n'était pas loin de la vérité.

« Faut que tu fasses tes feuilles de temps », me lança un jour mon patron. Merde! Ça faisait bien deux mois que je bossais là. Jamais rien noté. En scrutant les feuilles des autres, j'identifiai clients et projets. Combien d'heures sur chacun? Hum… La nouvelle de mon infortune se répandit. Les gens passaient devant mon cubicule, le sourire fendu jusqu'aux oreilles. Leçon douloureuse. Ça me prit une semaine pour en venir à bout.

Un vendredi après-midi vers quatre heures, mon patron me fit venir à son bureau. Il puait le Irish Spring. Mais ce parfum ne masquait pas entièrement son odeur d'alcool. Il me congédia et me demanda la clef du bureau. La mort dans l'âme, je retournai chez moi en trottinant sans conviction à travers les gratte-ciel.

Je demeurais au centre-ville avec mon copain Pierre dans un vieux logement crade. L'hiver arriva. Le coût du loyer doubla à cause du prix de l'huile… et on gelait. C'était l'époque de la première guerre du Golfe. On regardait les Américains jouer aux zéros à la télé.

Pierre avait bricolé un dispositif dans l'entrée. Quand on sonnait, une puissante lumière s'allumait et une caméra retransmettait l'image du visiteur sur un téléviseur. Un jour que je mis la musique à tue-tête, le voisin envoya la police. Lorsqu'ils sonnèrent, les policiers reçurent la lumière en plein visage. C'était rigolo de voir leurs tronches à la télé. Ils n'étaient pas habitués à subir leur propre médecine. Un déclencheur ouvrit la porte. Rendus en haut, ils tombèrent sur une porte de béton sans poignée, une autre bricole de Pierre.

— On les laisse entrer ? me demanda Pierre en souriant.

— Bof… pourquoi pas !

Les policiers poussèrent la lourde porte. Ils étaient ébahis : « Comment avez-vous fait tenir ça ? » Rayonnant, Pierre expliqua qu'il l'avait lui-même fabriquée. Elle pesait 300 livres et tenait grâce à de multiples charnières et des vis de 12 pouces. Pierre avait une pièce où il faisait de la musique. La porte protégeait l'équipement du vol. Et ça coûtait moins cher qu'une assurance.

Plusieurs copains DJ travaillaient sur une compil techno. Je branchai Pierre sur le coup et lui prêtai mes haut-parleurs pour qu'il entende mieux qu'avec ses boîtes de conserve. Il se mit au boulot. Je l'assistai à la production, trouvai des idées d'échantillonnage et, comme nom de groupe, proposai *Trademark*. Ce nom ironique lui plut… On n'utilisait que des sons piqués à d'autres : Kraftwerk, Monkeys, Pierre Henry, des dialogues de film…

Un ensoleillé samedi après-midi de printemps, j'arrivai à la maison, les bras alourdis de sacs d'épicerie. Pierre était au poste devant ses machines, le teint blanchâtre. « Ça te ferait du bien de prendre un peu l'air », je lui dis. On décida d'aller jouer au frisbee au parc. On marchait sur le trottoir d'un échangeur lorsque j'entendis un crissement de pneus. Une Corvette blanche dérapait vers nous. Je sautai le parapet de béton, suivi de Pierre qui sentit le souffle de la voiture. On atterrit dans une pente gazonnée et roula jusqu'en bas. On se regarda, muets, le cœur battant. On remonta. L'avant de la Corvette était enfoncé et avait laissé une longue marque sur le béton.

— On serait morts, dit Pierre.

— Tu crois ?

— Regarde, la voiture est passée exactement où on était. On aurait été coupés en deux.

L'ambulance arriva. Personne s'occupa de nous. On n'était pas blessés, alors on n'était pas intéressants. On se remit en marche. « En tout cas, je te retiens avec tes marches de santé », me dit Pierre.

Après avoir promené mon portfolio à travers la ville, je décrochai un contrat dans une grosse boîte au 18e étage d'une tour. La pression était énorme. En m'y rendant à pied le matin, je priais pour y arriver. Rendu à mon petit bureau, une file de cutifs[1] m'attendaient pour me briefer. Radio, télé, mailing… Je n'avais pas six mois d'expérience !

1. Chargés de compte.

Le type qui m'avait engagé était mince et sec. On l'appelait «le couteau». Quand il n'aimait pas ce qu'on lui présentait, il pouvait être blessant. Lorsqu'il se mettait à rougir, ça voulait dire qu'il était sur le point d'éclater. Fallait faire gaffe.

Un midi que je rentrais à l'agence, tout le monde écoutait la radio. La même station jouait partout. J'arrivai à mon bureau et ouvris ma radio: «... cette semaine à l'émission *Protection du consommateur*, un exemple de publicité frauduleuse ...» Ils firent jouer ma pub! — deux gars roulaient en voiture, manquaient de freins à un stop et rentraient dans une voiture de police. Le policier sortait de son véhicule et faisait le pitch. Le problème? La pub claironnait qu'on remplaçait les freins pour 99$. En fait, il s'agissait des plaquettes de frein. L'émission de radio était à peine terminée que mon patron fonça dans mon bureau, rouge de colère. Il essaya de parler, mais la rage l'en empêcha. Il se mit à hoqueter des «imbécile!», «idiot!», «innocent!» La cutive arriva et se mit à hurler. Quelle cacophonie! Et moi qui avais oublié mon walkman. Ils me jetaient le blâme. C'est pourtant eux qui avaient approuvé mes textes. Même les foutus avocats n'y avaient vu que du feu. Ils m'avaient fait ajouter de stupides lignes de texte juridique, mais n'avaient pas pris la peine de vérifier si le reste tenait debout. Il fallut retourner en studio en catastrophe pour enregistrer une version révisée. Je m'attendais à être viré à tout moment.

Quelques jours plus tard, mon patron vint dans mon bureau. Il était calme. Ça y est, me dis-je. Il s'approcha derrière moi et m'observa noircir du papier. Mon pouls accéléra. Il mit ses mains sur mes épaules : « Quand tu vas avoir fini ce contrat, je vais demander aux gens comment ils t'ont trouvé pis on va essayer de te faire une place. » Je le regardai en me demandant si j'avais bien entendu.

— J'imagine que t'as été gentil avec tout le monde, ajouta-t-il.

— C'est sûr.

Il sortit de mon bureau. Ouf ! Je respirais. Qu'est-ce qui lui avait pris ? La cutive m'apprit que la promo avait été un succès… On en avait parlé abondamment. Et puis l'histoire du policier qui se fait rentrer dedans avait plu aux gens.

Fallait fêter ça. En allant luncher, j'arrêtai dans une petite boutique de disques au pied de la tour où je bossais. Une place d'Anglais où j'allais de temps en temps. Je passais une pile de vinyle quand je remarquai ce qui jouait. J'arrêtai mon pianotage et tendis l'oreille… Ça ressemblait à du rap mais en plus sophistiqué musicalement. Je me remis à faire défiler les pochettes tout en écoutant. La pièce enchaîna avec une autre aussi bonne. La suivante était meilleure encore. J'allai voir le vendeur.

— Qu'est-ce qui joue ?

— C'est le nouvel album de Miles Davis, *Doo bop*, dit-il de son accent anglais en me montrant le boîtier du CD.

— Est-ce que vous l'avez en vinyle ?

— No, seulement en CD.

On était en 1991. Les compagnies avaient cessé de produire du vinyle. Je sortis du magasin et marchai machinalement dans le bruit urbain, un concerto pour voitures, camions et klaxons. Et puis, au milieu de cette pollution sonore, une pièce que j'avais entendue se mit à me trotter dans la tête. Ce symptôme m'était familier… je n'allais pas pouvoir vivre sans ce disque. Merde… j'allais devoir m'acheter un lecteur laser !

Épilogue

Assis dans le noir, les yeux fermés, un mur de son m'imprègne. Une trompette gémit telle une longue complainte. Elle ouvre le haut de mon crâne et descend en dedans. Des frissons parcourent ma chair. Miles Davis pistonne sans arrêt. Il me mitraille de notes rapides, saccadées, me pétrit, m'attendrit, ramollit mes repères. Des images se faufilent… Le tableau est une alternance de petits éclairs disparaissant dans une pénombre de poudre blanche. Il y a quelque chose de malsain quelque part, quelque chose qui déchire les certitudes. La trompette se calme, devient douce, se perd dans l'écho. J'atterris dans une rue sombre, un paysage flou, inquiétant. Au loin, Miles chuchote doucement. De ces longues notes étirées suinte l'écho du passé. Une vieille cicatrice laisse échapper tristesse, lassitude, désolation, honte. L'écho s'atténue doucement jusqu'à ce que la voix du narrateur s'efface totalement. Alors les autres musiciens embarquent. La basse d'un bord, la batterie de l'autre. Au milieu, l'orgue se déchaîne. Brutal, sauvage, grossier. Le peuple opprimé triomphe. La nation noire éclate. Ça part dans tous les sens. Miles est là, silencieux, au milieu du trafic, des piétons, de ce bourdonnement de lumières, machines et tout ce qui grouille dans une métropole. La ville métronome impose sa cadence à la multitude se hâtant de vivre pendant qu'il en est encore temps. Sous le ciel grisonnant, l'espoir côtoie le drame, la joie alterne avec la peine, les cris succèdent aux pleurs. Les contrastes essentiels sont chorégraphiés au quart de tour. Tout fonctionne. Les gens bougent, les voitures passent. Les morceaux s'emboîtent et forment une image bien plus grande que ce que les yeux peuvent capter… Une dose de mélancolie surcharge mes sens. Je deviens tout petit, j'oublie que j'existe.

Toute ma vie, j'ai mené une vie parallèle, recluse, secrète.

Personne ne saura jamais ce que j'ai ressenti. Ces sensations furent les plus puissantes de ma vie.

La musique crée un panorama. Suffit de fermer les yeux et d'ouvrir son cœur. Elle nous emmène ailleurs, dans ce monde meilleur auquel nous aspirons tant. La vie que nous n'aurons jamais est là. Ces images du bonheur que nous n'atteindrons pas, elles sont là…

Les Clash, c'est partir en voyage, fuir la maison familiale, circuler dans les rues en faisant gaffe aux voitures de police. Les Clash, c'est le meilleur de l'adolescence. C'est un jeune aux cheveux hirsutes qui saute nonchalamment sur place, c'est *Spanish Bomb* qui résonne dans son cœur et stimule son courage. Les Clash, c'est mon adolescence perdue, pour laquelle je serai nostalgique jusqu'à ma mort. La liberté de se promener en voyou, de faire un maximum de conneries à la minute et de s'en contrefoutre. Le punk, c'est l'antioxydant de l'âme. L'endroit le plus génial où j'ai jamais été. Le marteau-piqueur qui m'a permis de briser la déprimante réalité qu'on m'avait mise dans la tête depuis la naissance. Clash et PIL. Ces groupes m'ont fait vibrer et gardé vivant. Le punk, c'est toutes les poubelles de l'humanité visitées en odorama. C'est quelqu'un qui a pas peur de la vérité. C'est l'aliéné consentant qui se révolte. C'est la machine qui se déglingue. C'est Ian Curtis annonçant sa mort avec le calme d'une statue. La résignation de vivre dans une société d'abrutis. La peine de savoir, connaître, comprendre et expérimenter le mensonge chronique. La guitare de PIL joue à tue-tête. Nous courons dans les rues la nuit comme des rats. Quelque chose d'atomique circule en nous. Nous sommes des missiles guidés qui attendent le bon moment pour péter en pleine face des citoyens. Les missiles se rechargent sous les lumières colorées dans la musique qui nous broie. L'obscurité fraie son chemin, nous programme. Dansant sur le damier noir et blanc, la tribu accumule la rage nécessaire à la destruction de l'ennemi… soi-même. Un mur de haut-parleurs pistonne, martèle et élimine l'humanité qui nous a habités. L'homme est un cancer. C'est accepté, assumé, on sait ce qu'on a à faire. C'est clair. La voix rayée de Siouxie grafigne des images de téléréalité… Un millier d'ouvriers assemblent des bombes sur une chaîne de démontage, répétant jour après jour les mêmes gestes funestes. Un estropié fabrique des mines antipersonnel. Un végétarien travaille dans un abattoir. Des carcasses avancent à la chaîne. Faut arracher les boyaux alors qu'on nage dans le sang, que le sang des bestiaux se mêle à notre sueur, que le désespoir de l'animal n'est que notre réalité.

Les musiciens œuvrent dans une dimension bizarre. De temps en temps, les notes se juxtaposent de façon géniale et un morceau de vérité universelle tombe de nulle part.

Les compositeurs sont des capteurs. Ils perçoivent le mouvement de l'univers et l'enregistrent. Ce sont des cinéastes de l'infini. Des médecins de l'invisible. Des chorégraphes de l'inconscient. Ils activent les sens qu'on ignore. Ceux qui œuvrent dans l'invisible. Et qui ont le pouvoir de faire surgir des torrents d'eau salée sur nos joues.

Lorsque la musique entre dans la boîte crânienne, elle bouleverse la mémoire. Souvenirs et sensations remontent à la surface. Notre moi émerge. Au-delà de la peur. De nos conceptions limitées. Que sommes-nous ? Poussière intersidérale. En route pour une destination inconnue.

Quand les ondes sonores font vibrer ma carcasse, je suis branché au Tout. Mes atomes sont affectés par la gravité de planètes aux confins de la galaxie, là où tout a commencé et où tout se termine.

La musique superpose le chaos planétaire à mon bordel psychique. Les deux s'annulent selon la loi des phases. C'est de l'homéopathie. Une dose infime neutralise un malaise plus grand. Suffit d'avoir le bon échantillon. La bonne vibration. Le bon dosage.

Aucun groupe n'exprime le chaos comme les Residents. Les Residents, c'est une ruelle sombre où la vie peut prendre un nouveau départ ou se terminer; une histoire pour enfants non sponsorisée par McDo, quelque chose qui refuse d'être récupéré, profondément vivant et ne peut être formaté. Des esprits libres, résistant aux décapants industrieux, aux catégories, aux cases. Un monde sans carré ni rectiligne. La vibration vient d'un monde souterrain. Elle recycle notre médiocrité quotidienne, lui injecte le juste dosage d'arsenic et neutralise l'illusion qui nous drogue. Les Residents, c'est ma naissance comme individu. C'est là que je suis devenu, que ma vie a débuté. C'est un endroit secret qui m'appartient et que peu comprennent. C'est le pôle Nord amélioré. L'antagonisme à la vulgarité. La vie organique, douloureuse et précaire. Un cri du cœur, du corps, des tripes. Un éclairage neuf sur un habit rapiécé. C'est entrer dans Citizen Kane et tomber sur Elvis bedonnant, maugréant, avalant ses cachets. Les mythes sont dégourdis, puis absorbés par l'ombre éblouissante. Intolérable. Cynique. Libératrice et apaisante. Les Residents, c'est la violence requise pour se défaire de l'image-tyran. La pellicule est hachurée, grattée à la main et remontée par un aveugle. Les scènes déboulent, s'enchaînent. La caméra est posée dans la plaie, la souffrance, le mensonge. Les couleurs sont saturées, le volume au max. Ça résonne, m'harcèle et m'obsède jusqu'à ce que le chaos sonore se fonde en un bruit de chute d'eau qui se déverse dans mon cerveau et nettoie la saleté que j'ai dans la rétine des oreilles. Les Residents, c'est la vie rapide et accélérée ralentie… pour mieux en voir les accrocs, la regarder se déformer sous nos yeux, voir les rides apparaître sous les nôtres.

La musique pénètre les plaies de l'âme. Elle se faufile à travers le jugement, s'attaque à notre armure, passe au travers. Tel un virus, elle s'immisce dans nos systèmes vitaux, se marie à nos globules blancs, les aide dans leur lutte sans merci. Certaines ondes stimulent les glandes qui régularisent la chimie du corps. La musique les caresse. C'est de l'affection interne. Elle circule doucement dans les artères, relâche certaines tensions, prévient des désordres sérieux. Mais surtout, elle ajuste l'énergie subtile que certains appellent l'âme.

Quand le monde dit sottise, elle fait surgir une étincelle, embrase, libère. De tout ! Abrutissement, connerie, stupidité. Quand on se sent perdu, sur le point d'abandonner, elle redonne courage, soude les fractures à l'âme et aide à vivre dans ce monde de machines. Elle dissout la crasse spirituelle, frappe chacun de nos muscles, libère la peur et autres mémoires de la chair. Le massage libère. Surtout à haut volume. Quand ça joue à tue-tête, mon cerveau est sollicité à plein régime. Les sons tournent, m'hypnotisent, me gèlent. Noyé dans une constellation de fréquences, je roule à 200 dans une zone de 100.

J'adore écouter Zappa à plein volume. Ça étouffe le battage publicitaire, élimine ce gaz carbonique. Sa guitare me hachure, me réduit en charpie. L'oxygène chatouille mes cellules soudain légères. Je suis dans le cosmos. Baignant dans les neurotransmetteurs et flottant dans les endorphines, je me laisse bercer. Il fait vibrer mes boyaux. Je résonne. Cœur, foie, reins, cerveau. Zappa est un acupuncteur.

Chaque instrument touche un endroit précis et libère la tension. L'orchestration neutralise le cerveau. C'est un début. Ensuite, la guitare se faufile en dedans et me chatouille. Il partage âme, sensibilité, révolte, tristesse. La guitare me transperce, me dépèce. Ma chair devient réceptive aux battements du cœur. Il est à côté de moi. Je lui raconte un truc et vois ses yeux sourire. Il repart, porte le flambeau, se réincarne en moi. Je suis pas fou. Il est d'accord. Il me met la main sur l'épaule. C'est le père qui m'a tant manqué, compréhensif, affectueux, qui écoute et hoche la tête. Un arrangement de xylophone, un éclat de musique concrète. Je suis hypnotisé. Il sanctifie la différence et l'unicité. La guitare ranime mon adolescence, la nécessité d'être différent, de penser par soi-même. Les conventions sont étudiées puis réduites à néant. Zappa est un gentil géant. Dans son aura, je me sens protégé. C'est le père des fous furieux intelligents. Un éclat de pur diamant. La lumière qui s'en échappe est d'une intensité inouïe. Une note, une autre. Ça y est… mes atomes s'écartent, ma cage thoracique s'ouvre. La chaleur entre, me pénètre, cicatrise les blessures. Chaque accord est un coup d'aiguille qui recoud, répare. Et puis les notes déboulent. Y'en a des centaines. On dirait des baisers. Des tapes d'affection. Des sourires à tout mon être. « Oui, oui... je suis là », qu'il me dit... « T'es pas fou... je suis mort, mais je vais t'accompagner toute ta vie et m'assurer que tu ne deviennes pas un autre aliéné. » Encore des notes de guitare. Cerveau débordé, surexcité. Âme repue. Ça continue. Profusion de sons, de basse et ça reprend. Où m'emmènes-tu ? Sais pas. Pas d'importance. On est ensemble. C'est tout ce qui compte. Je me sens guéri, repu, complet. C'est de l'amour pur. De la guérison. De l'affection pour l'humanité. Vas-y mon vieux Frank, pendant que t'es encore en vie, que je ne suis pas encore mort, on est ensemble comme durant ces concerts où tu nous emmenais ailleurs... On sortait de l'amphithéâtre sur un char de feu et on visitait la galaxie la nuit, des heures durant avec toi. Je veux te suivre à jamais. Être avec toi, que mes atomes restent en vie avec ton esprit.

Mon salon est mon tombeau. Depuis des années, j'écoute des requiems électriques. Dans l'obscurité, je côtoie les esprits. Dans ce bruit, je trouve la paix. Je monte le volume, change de dimension. Suspendu dans une cabine, penché sur des tables tournantes, ma sueur coule dans les sillons noirs. Sous mes pieds, 200 possédés se disloquent l'âme. Je descends de mon perchoir et les rejoins. Les gigantesques haut-parleurs pilonnent, les lumières aveuglent, le chaos s'organise, pénètre mes pores, sature mon organisme, court-circuite mon système nerveux. « Mon Dieu, prenez-moi ! Amenez-moi loin d'ici ! » La musique circule dans mes veines tel un fluide dilué dans mon sang. Elle me fait sentir la grandeur de la vie et l'ampleur de la tragédie. Des charniers d'Auschwitz à la Vénus de Milo. Enfance, vie, déchéance, mort. Contrepoison à l'existence. À ingérer au besoin. Dans mon cas, tout le temps.

J'aime flotter en mouvement dans l'obscurité. Seul avec la meilleure musique du monde. Plus de gravité, ni d'univers. La Lune m'observe. Elle semble se marrer. Je me démène comme un diable… je bouge, ondule, agite les bras, comme pour me débarrasser de ce corps encombrant qui maugrée, se plaint, me ralentit et m'entraîne vers la tombe.

Rien n'est plus beau que la fête. Tourner en rond, sauter en l'air et fêter, pour oublier que tout est sur le point de se terminer, oublier ceux qui crèvent chaque minute, chasser l'angoisse, la tristesse, transcender toute cette merde pourrie et fuir ce monde à pleurer. Sauter et retomber toujours un peu plus lourdement jusqu'à ce que nos organes se déchargent, se désagrègent, nous libèrent. Le plus tragique de vieillir est de ne plus pouvoir fêter comme avant. Ne plus pouvoir sauter dans les airs des heures durant en ignorant son cœur qui cogne comme un fou. Sentir ses chevilles frêles qui menacent de se rompre à chaque atterrissage.

J'aimerais pouvoir sauter comme un cinglé en écoutant les albums disco de mon enfance. Avoir la vigueur de bouger deux fois plus vite que le tempo. Sauter. Exploser. Au milieu de ces voix chaudes, ces voix noires, qui m'ont pris, m'ont bercé. Sentir que je deviens fou, être stimulé à mort, sentir ma fibre enflammée par la guitare. Savoir que j'ai la vie devant moi pour faire ces conneries que j'ai faites. Ignorer la peine que j'allais vivre. Oublier détresse, peine, souffrance. Ces maîtres redoutables. Sauter encore et encore, attendant le destin de pied ferme. Arrogant de jeunesse. Pétant de force.

Je me revois enfant, tendre, amoureux, avant que ma psyché soit corrompue par des années de misère, quand j'étais vierge et aimais mes parents aveuglément. La musique entrait brutalement en moi. Mon corps se tortillait, la fièvre m'emportait. Tel un possédé, je ne m'appartenais plus. J'appartenais aux rythmes, mélodies, basses, trompettes et violons. Il y avait la pureté, le désir, l'odeur de ma première blonde, cette vie qui m'attendait, implacable. Et moi, réfugié au milieu de cette naïveté colorée. Tout était là. Une belle histoire. Celle d'un enfant qui ne veut pas grandir et refuse de vieillir.

Plusieurs fois par jour, je mets l'aiguille dans le sillon, monte le volume et vaque en tendant l'oreille. En général, il ne se passe rien de particulier. Disque après disque, les chansons se suivent sans incident. Mais, parfois, il y en a une… qui râpe mon indifférence, me noue la gorge. Me rentre dedans, m'éblouit, me remue, me brasse, me rappelle que je suis humain, fragile, vivant. Elle m'infuse une tragédie douce, allume ma sensibilité, active mon ombre, fait frémir mes fantômes, se faufile à travers mes fractures, descend en moi et fait jaillir des larmes, ce lubrifiant essentiel qui permet de renaître. Vider son cœur. Atteindre un état de béatitude. Être entièrement ouvert et touché. Les frissons passent derrière mes jambes et dans mon dos. Je ferme les yeux. Une voix me parle… douce et affectueuse. Je redeviens cet enfant insouciant qui court dans les champs, passe des heures à jouer seul, rêve à l'avenir, ressent la gêne en voyant des jeunes filles et le désarroi devant cette vie qu'il aura tant de mal à embrasser.

Table

Cet ouvrage, composé en New Caledonia 14,
a été achevé d'imprimer à Montmagny
sur les presses de l'imprimerie Marquis
en septembre deux mille six.